무털   털렌트   끼털

탈수 털서울   털이란건 아름다이

환골탈태   탈덕   이탈

Contents

1 **들어가며**
2 **사조직 소개**
3 **무탈**
   있는 모습 그대로 지내기를   16
   무탈이란   18
   소탈대무탈   20
   무탈한 하루   22
   불행하지 않습니다   24

4 **탈렌트**
   앞으로 계속 채워나갈 리스트   28
   질투나! 당신들의 재능   30
   이것도 재능이라면 재능   32
   옷수저   36
   올해의 탈렌트   40

5 **까탈**
   그레이진을 안사면 죽는 병   44
   예민찬양   46
   까탈은 유전인가   48
   그냥 앉고 싶은 곳에 앉고 싶어요   52
   단어에 주의해 주세요   54

6 **시선강탈**
   취미생활과 볼드모트   60
   뒷모습   64
   Romantica!   68
   이건 비밀인데요   70
   부탁의 서   74

7 이탈리아
파스타 퇴마	80
버리고 버려진 것들	82
피자 괴물	88
공덕 비스트로	94
라 프리마 에스따떼	104

8 탈서울
다를 것이 없는 저 곳의 세계	110
나를 다시 만나러	114
낙엽냄새가 난다	118
SUMMER COLOR	122
겨울에게	126

9 탈수
오후 2시에 캐모마일 차	132
그 많던 물은	134
무리 없음	136
수도꼭지	140
누누와 장마	144

10 환골탈태
취향의 형태	148
성 바꾸기	152
게으른 미라클 모닝	154
달라진 건	158
따듯한 불만 켜주세요	162

11 탈덕
사랑은 무한대이외다	166
빛나는 탈덕	170
탈덕은 없다	174
성덕의 조건	178
코난포에버	180

12 이탈
엄마와 경로를 이탈했습니다.	186
없던 생일	188
한국행 편도 티켓	194
발가락 이탈기	198
8개의 이름	202

들어가며

매년 새해마다 우리는 무탈하기를 바라지만, 돌이켜보면 늘 탈은 일어났다. 그것이 크고 작고의 차이일 뿐, 그럼에도 돌아오는 해의 첫날마다 또다시 '별일 없게', '무탈하게' 한 해를 보내게 해달라고 소원을 빈다. 복사실에서 첫 인사를 나눈 우리가 처음으로 꺼낸 이야기도 그랬다.

"우리 무탈하게 합시다."

당장 이번 주말도 계획하기 힘든, 말도 많고 탈도 많은 광고회사에 다니는 우리가 '무탈함'을 바라는 건 헛된 희망인 걸까. 그럼에도 불구하고 우리는 탈과 함께 사는 것에 매우 익숙한 동물이었다. 인간은 역시나 학습의 동물이기에. 배**탈**이 나면 배를 싹 비워내고 새로 시작할 수 있어서 좋은 것 같고, 가끔 궤도로부터 이**탈**하더라도 쉽게 다시 제자리를 찾거나 이**탈**한 곳에서 새로운 궤도를 만들어내기도 하고, 괜히 남의 것이 부럽기도 해서 **탈**렌트를 찾아내 보기도 하고, 시선을 강**탈**하는 무언가로 인해 새로운 세계가 열리기도 하고… 무탈하게 하자고 했지만, 알고보니 우리는 모두가 '탈'에 익숙했고, 또 진심이었다. 어쩌면 우리는 무탈함보다 '유탈함'을 바라고 있는 게 아닐까, 하고 누군가가 말했다.

그래서 우리는 탈을 미워하지 않기로 했다. 탈이 일어나지 않으면 매일매일 똑같고 지루한 하루가 반복될 테고, 그럼 이런 만남과 이야기도 없었을 테니까. 그렇게 우리는 몇 개의 탈들을 찾았고 열심히 이야기했다. 똑같은 '탈'일지라도 누구 하나 겹치는 탈은 일어나지 않았다. 우리의 탈이 누군가에게는 무탈함을 주기를 바라는 욕심도 부렸다.

돌아오는 새해에 우리는 또 **무탈**하기를 약속할 것이다. 하지만 그것이 무색하게 탈은 또 일어나겠지. 그때 이 책에 있는 이야기들이 그런 일들을 조금이나마 **무탈**하게 만들어줄 수 있기를 바란다. 탈 난다고 안 죽는다, 탈 그까짓 거! 탈탈탈, 털어내고 일어나자고!

시조직 소개

권동력

박치로 사는 인생, 곧 템포 맞을 예정.
현 직업 : 아트디렉터. 미래 직업 여전히 찾는 중.

장철수

서울역으로 출근하는 카피라이터 6년 차. 불곰산악회를 이끌며 한 달에 한 번 산에 오르고 남편과 함께할 세탁소를 꿈꾼다. 싫어하는 데는 이유가 많고 좋아하는 데는 이유가 없다. 조건도 많고 편견도 많지만, 술과 진심 앞에선 모든 것이 무색해지는 편.

전대문

사진 찍고, 글을 읽고, 운동하고, 여행하고, 퇴근 후 배우자와 저녁을 먹으며 대화를 나누고, 고양이를 놀아주는 일을 매일 하며 부산스럽게 산다. 재미있는 게 너무 많아 고민인데, 우울하고 불안도 많은 사람. 즐거운 일에 몰입할 땐 하강할 때 푸슉 꺼지는 것이 천천히 오길 바라며, 불안해도 일상은 지속되길 바라며, 사조직을 포함한 나를 아껴주는 사람들의 지지를 받으며 하루하루 살고 있다.

존레순

숫기도 없고 조용해 보이지만 사실 속내는 요란스러운 사람. 그래서 말보다 글이 쉽다곤 하지만 이 말도 어쩐지 후회할 것 같다. 신나는 리듬 속의 슬픈 가삿말의 노래를 좋아하고, 낮에는 사람들과 웃긴 말하기를 좋아하지만, 밤에는 혼자 슬픈 영화를 보며 우는 것을 좋아하는 모순적인 사람.

킴카나다

대부분 즐겁고 대체로 행복한 삶을 살고 있다. 무탈하게 살던 중 아트디렉터 10년 차에 매너리즘과 번아웃이 찾아왔고 그쯤 사조직을 만나 글쓰기를 시작했다. 평소라면 절대 안 했을 일을, 좋은 사람들과 함께한다는 이유만으로 도전하는 중이다. 다음엔 또 어떤 안 해본 일을 해볼지 틈틈이 구상하고 있다.

우연한 인연으로 모인 네 명의 동료들과 책을
완성하고, 함께 북페어를 참여할 것을 기대하고
있는 마음만을 응원하고 싶다. 완성도 높은
글보다 2주에 한 번 만남에 불편함 없길 바란다.
그렇게 쌓인 글을 모아 완성된 책을 보며
기뻐하는 순간을 함께 맞고 싶다.

「있는 모습 그대로 지내기를」 중

있는 모습 그대로 지내기를

전대문

"잠은 잘 자니?" 요즘 엄마가 전화할 때마다 나에게 하는 첫 마디다. 나는 몇 년간 불면과 우울증에 시달리다 수면제와 항우울제를 복용하기 시작했고, 최근에 이 사실을 엄마에게 말했다. 이후 엄마의 안부 인사가 "잠은 잘 자니?"로 바뀌었다. 걱정의 마음을 담아 고르고 고른 단어일 것이다.

"네가 행복했으면 좋겠어."

내가 24살이 되어서야 대학 입학을 하게 되고, 원서접수를 하면서 비교적 취업이 쉬운 과와 내가 공부하고 싶은 과를 고민하고 있을 때 엄마가 해 준 한마디이다. 겨울에 우리 둘은 방에 누워 있었고, "이 과가 취업이 잘 된다던데, OO 학과 갈까?"라고 한 말에 엄마가 나를 빤히 보며 해준 이 한마디가 그 이후의 내 삶을 바꾸어 놓았다. 출판 편집인을 꿈꿨던 나는 엄마의 행복을 비는 한마디를 듣고, 국문 학과에 입학했다. 슬프게도 나를 채용하는 출판사는 없어서 파주 입성은 하지 못했지만 말이다.

기억에 남는 엄마의 한마디에는 공통점이 있다. 내 상태를 그대로 받아들이는 그녀의 태도이다. 인생에서 가장 잘한 일이 나와 동생을 낳은 일이라고 말하면서도, 나에게는 결혼으로도 충분하니 아이를 낳으라고 하지 않는다. 누구보다 전문직을 갖지 않은 것을 후회하면서도 나의 진로에 의견을 내지 않는다. 엄마는 그저 나의 행복을 빌고, 불면이 없어지기를 바라며, 그리하여 아무 탈 없이 잘 지내기를 바라는 말만 해준다. 나는 엄마의 온전한 사랑을 받으며 하루하루 지내고 있다.

엄마가 그랬던 것처럼, 나도 내가 바라는 상대방의 모습을 걷어내고, 상대방이 편하게 지낼 수 있기를 바라는 마음만을 갖고 싶다. 우연한 인연으로 모인 네 명의 동료들과 책을 완성하고, 함께 북페어를 참여할 것을 기대하고 있는 마음만을 응원하고 싶다. 완성도 높은 글보다 2주에 한 번 만남에 불편함 없길 바란다. 그렇게 쌓인 글을 모아 완성된 책을 보며 기뻐하는 순간을 함께 맞고 싶다.

무탈이란

존레순

"요즘 뭐 재밌는 일 없어?"
참 모순적이다. 소원을 빌 때마다 무탈함을 비는 내가 친구들과 만나면 가장 자주 하는 말이다. 솔직히 말해서 나는, 무탈하고 싶은 마음이 별로 없다. 곰곰이 생각해 봤다. 나는 정말 무탈함을 바라는가? 탈이 없으면, 할 말이 없다. 그거야말로 나에게는 큰 탈이다. 참고로 얼마 전 야매로 했던 성격테스트에서 나의 자극 추구 성향이 상위 1%라고 했다.

대학 입시 스트레스를 받던 고등학생 시절, 나는 과민성 대장증후군 때문에 시도 때도 없이 탈이 났다. 특히 2학년 때는 수학 시간마다 탈이 자주 났는데, 수학이라는 과목을 제일 좋아했음에도 불구하고 담임 선생님이었던 수학 선생님과 나의 사이가 좋지 않다고 생각해서 그랬던 것 같다. (당시 우리 반의 급훈은 '순응'이었다) 과민성 대장 증후군이라는 이유로 선생님은 수업 시간마다 나의 화장실 체크인을 허락해 주었다. 지금 생각하면 수업 시간에 자유롭게 화장실도 다녀오게 해줄 정도로 너그럽고도 무탈한 분인 것 같은데, 그때는 뭘 그렇게 예민하게 느꼈는지 모르겠다.

그날도 여느 때처럼 수업 도중에 내가 자주 가는 단골 화장실 칸으로 들어갔다. 쉬는 시간보다 수업 시간이 큰일을 보기에 좋은 점은 밖에 누가 있을까 봐 걱정하지 않아도 된다는 점이지, 하면서 여유롭게 일을 보고 있던 순간, 갑자기 고요를 깨며 누군가가 화장실 문을 과격하게 두들겼다. "야! 니 딱 걸렸다, 당장 나온나!" 당시 우리 학교에는 소위 몇몇 일진들이 수업 시간마다 화장실에서 담배를 피웠다. 그 사실을 알았던 생활지도부장 선생님이 호시탐탐 노리고 있었던 것이다. 하필이면 그들이 떠난

지 얼마 되지 않았을 때 내가 바통 터치를 한 것이다. 선생님은 당장이라도 문을 부술 기세였다. 과민한 나의 장은 알아서 멈출 법도 한데, 공포감에 휩싸였기 때문인지 고장이 난 것처럼 멈추지 않았다. 땀인지 눈물인지 모를 정도로 진땀을 빼다가 힘겹게 입을 떼려는 순간, 밖에서도 무언가를 알아챈 것 같았다.

"저기, 선생님… 아닌 것 같습니다. 그 냄새가…" "머라꼬? .. 킁킁 .."
그렇게 돌이킬 수 없이 커진 탈 덕분에 예측하지 못했던 큰 탈을 잠재웠다.

이 얘기는 고등학교를 졸업한 지 10년이 넘었음에도 불구하고 고등학교 친구들을 만나면 우리가 항상 반복하는 레퍼토리 중 하나다. 몇 번을 반복해도 배를 잡고 웃는다. 내 말이 맞지 않은가. 탈이 나야, 할 말이 많아지고, 오래도록 웃을 수가 있다. 탈이 난 그 순간에는 죽도록 괴로울지 몰라도.

올해도 무탈하게 넘어가나 했는데, 아니나 다를까 큰 탈이 났었다. 거의 반 년을 그 탈로 인해 고통받았다. 나는 뭔가를 혼자서만 비밀처럼 오랫동안 갖고 있지 못하는 사람이라, 만나는 사람마다 탈 이야기를 했다. 그렇게 이야기하다 보면 큰일인 줄만 알았던 그 탈이라는 것이 아무것도 아니게 될 만큼 작아지기도 해서 그런 것도 있고, 무작정 탈출하고 싶은 것보다 무참히 탈락하더라도 부딪히는 것이 차라리 무탈해지는 길일지도 모른다는 기대 때문에.

언제나 무탈할 수는 없다. 어쩌면 무탈하다는 건, 탈이 없다는 게 아니라 내게 닥쳐오는 그 어떤 탈이라는 파도 따위에 유난스러운 호들갑도 떨지 않고 무사히 빠져나올 수 있는 힘을 기르는 게 아닐까. 그렇게 생각하며 오늘도 나는 자극적인 탈을 찾아 씩씩하게 길을 나선다.

소탈대무탈
장철수

무탈하기를 바라는 마음은 보통 어떤 때 갖게 되나. 너무나 당연하고 일상적인 것들이다. 늙어가는 부모님, 10살 된 고양이, 내 월급과 빚, 건강, 친구들과 마시고 춤추며 보내는 시간, 배우자와 나의 가정. 탈이 나 잘못 삐걱거리면 단숨에 내 삶에 위협이 될 대상들에게 무탈함을 기원한다. 결코 위협이 되지 않기를 바라는 마음에서 말이다.

사람이 살면서 무탈하기만 할 수 있을까. 지금 내 하루만 해도 그렇다. 말도 많고 탈도 많은 게 회사이고, 그런 회사에서 일주일의 반 이상의 시간을 보낸다. 충동적인 소비는 내 통장에 탈이 나게 하고, 잦은 음주와 과식은 내 장에 탈이 나게 한다. 사실상 하루하루는 탈 그 자체다. 우리는 이런 탈을 쳐내는데 도가 튼 것이고.

감당 가능한 사소한 탈은 그저 일상일 뿐이지만 감당 못 할 큰 탈은 그 일상을 앗아간다. 그러니 무탈하기를 바라는 마음은 어쩌면 요행을 바라는 마음일 지도 모른다. 전자는 언제든 맞설 준비가 되어있지만, 후자는 언제고 오지 않았으면 좋겠는 것이다. "몇 대 맞을래?"하고 내가 맞을 매의 정도를 선택할 수 있는 것처럼 내가 겪을 탈도 선택할 수 있다면 좋으련만. 그게 아니고서도 내 뜻대로 할 수 없는 게 삶이다. 그러니 감히 요행을 바라본다. "소탈대무탈!" 작게 탈 나고 크게 무탈합시다. 이 글을 읽는 모든 분들 소탈대무탈하세요.

무탈한 하루
킴카나다

새해 인사를 먼저 챙기는 사람은 아니지만 반갑게 온 메시지에 답장은 열심히 하는 편이다. 예전에는 "올 한 해 행복만 가득하길 바랍니다."라든지 "언제나 좋은 일들만 생기는 한 해 보내길!"이라는 메시지를 주로 보냈다면, 이제는 "무탈한 한 해 되시길 바랍니다."라는 말을 하게 된다. 살다 보면 행복만 가득할 수 없고, 언제나 좋은 일들만 가득할 수 없기에 상대방의 무탈함을 바라는 게 더 진정성이 느껴지는 것 같다.

무탈함이란 뭘까? "행복이란 자려고 누웠을 때 걸리는 게 하나도 없는 것". 어디선가 봤던 방송인 홍진경 님의 말이 생각난다. 그녀의 말처럼 오늘 하루 무탈했는가는 하루가 끝나는 시간에 비로소 알게 된다. 침대에 누워 사소한 걱정거리 없이 무탈하게 잠든다면 그날은 평온했던 것.

한 가지 덧붙이자면, 무탈한 하루의 기준은 '오늘 하루 동안의 내 모습이 마음에 들었는지'와 '아직 일어나지 않은 일에 대한 걱정에 불필요한 에너지를 쏟지 않는지'다. 나의 '걸리는 것'에는 하루 중 나의 언행에 대한 자기반성이 주를 이룬다. "이 말은 하지 말고 참을걸", "장난으로 던진 내 농담에 기분 상했을까?" 늘 생각을 곱씹고 말하자고 되뇌지만, 뇌를 찰나에 스치고 입으로 툭 쏟아진 말들에 대한 자기 점검과 비판 시간이 한참 지나야 편안하게 잠들 수 있다.

하루 중 상처를 줄 일도 상처받은 일도 없이 고민거리보다는 재밌고 좋았던 순간을 곱씹으며 기분 좋게 잠드는 무탈한 하루를 보내길 오늘도 바라본다.

가끔 도움을 받기도 한다.
요즘 잘산템 : 미국 여행 때 사온 수면유도제 젤리

불행하지 않습니다
권동력

타지에서 이방인으로 산다는 건 하루하루가 에피소드의 연속이었다. 작게는 집 앞 슈퍼를 가는 것부터 크게는 세금을 처리하는 것까지- 흥미로웠던 건 일의 경중을 떠나서 모든 일들이 다 똑같은 무게로 힘들고 어려웠다는 것이다. 슈퍼에 치즈를 사러 가는 마음이 세금을 처리하러 변호사를 만나러 가는 날의 마음과 전혀 다르지 않았다. 매일 새로운 사건과 대면하는 게 익숙해 지면서 어느 순간부터는 "돈으로 해결할 수 있는 일이면 그건 아주 최악의 사건은 아니야."라는 마음이 들었고, 아이러니하게도 제일 돈이 없던 쌩 거지 시절에 숱한 고통의 날들을 돈으로 때우며 견뎠다.

돈을 막대하니까 돈은 진짜 꼭 필요한 일에 쓰이고, 아무 일도 생기지 않게 해달라는 것이 아니라 "일단 눈앞에 일을 어떻게든 해결하게 해주세요."라고 하니까 하루하루가 완전한 '오늘'이 되는 날들이 점점 늘어 갔다. 가진 것이 없어서 가질 것들이 중요해지지 않으면 비로소 무탈하기를 바라게 된다는 생각이 들었다. 이것은 세속적인 의미에서 해방감뿐만 아니라, 눈앞의 일들에 집중하다 보니 더 나은 내 모습을 바라는 마음에 대한 욕망도 없애주었다. 지나간 하루를 아쉬워하며 패배자 같은 마음으로 잠에 드는 일. 누구의 비난과 비교도 없었지만 혼자 잔뜩 주눅이 든 채 자신을 대하는 일. 일어나지도 않은 사건을 곱씹으면서 하루를 허비하는 일. 이런 숱한 일들이 아무 일도 일어나지 않음에 감사하는 마음으로, 행복하지 않다는 말이 불행하지 않다는 말로 진화했다.

지킬 것이 많아야 무탈함을 기원할 줄 알았건만 아무것도 지킬 것이 없고 그저 가진 게 나, 그리고 13인치 맥북 하나가 전부일 때 가장 무탈했다.

최근엔 우리집 강아지 누누의 무게까지 조금 가중되었지만, 여전히 나는 마음이 꽤나 가볍다. 한국에 돌아온 지 단 3개월 만에 자본주의 워리어가 되어 집 앞에 택배가 쌓였던 건 안 비밀 같은 사실이다만은 탈 많고 말 많은 숱한 날들을 이겨내고 매해 하루씩 더 무탈하게 평안하게 잠드는 날을 늘려가고 있으니 진짜 성장하고 있는 게 확실하다.

끝내주게 섹시한 여자보다 죽여주게 웃긴
여자가 꿈인 우리들은 매일 매일 웃긴 얘기를
하고, 웃긴 것을 보면 서로에게 보여주려고
안달이 나 있다. 그래서 우리의 메신저창에는
별다른 대화는 없이 웃긴 짤 웃긴 영상만 있다.

「웃수저」 중

앞으로 계속 채워나갈 리스트
킴카나다

상대방의 장점 찾아내서 칭찬하기
세상 만물 귀여워하기
영화나 드라마 보면서 다음 대사나 전개 예측해서 맞추기
출근하면서 점심 메뉴 정하기
점심 먹으면서 저녁 메뉴 정하기
남들과 비교 안 하며 살기
주변 사람 특징 찾아내서 성대모사 하기
아이솔레이션 동작하면서 말하기
안 입는 옷 미련 없이 버리기
고생한 나에게 보상하기
여행 일주일 전부터 짐 싸기
상대방 이야기에 깊이 공감하기, 하지만 잘 까먹기
상대방 울면 같이 울기, 하지만 이내 빨리 털기
길냥이에게 경계 풀고 츄르주기
눈빛만으로 산책하는 강아지 나에게 오게 만들기
쇼핑할 때 상대방에게 잘 어울릴 옷 찾아주기
버스 타면 기사님께 인사하기
공공장소에서 부딪혔을 때 미안하다고 먼저 말하기
아기 재우기(아이 없음)
상대방 인생 사진 찍어주고 프로필 사진 바꿔주기
물건 흥정해서 깎기
식당에서(특히 술집) 웃으면서 서비스받기
리액션 좋다는 소리 듣기

야구장에서 처음 듣는 응원가 따라 부르기
회의 시간 내내 끊기지 않게 낙서하면서 집중하기
오랜 여행의 부재에도 집에 둔 식물 죽이지 않기
광고 글 거르고 찐 리뷰 찾기
한 번 먹어본 음식 얼추 따라서 만들기
동시에 여러 음식 만들기
셀프 머리 땋기
여행동선 및 계획 잘 짜기
지하철에서 누가 일어날지 맞히기
식당에서 메뉴 고르기
도움이 필요할 때 도움 청하기
나의 감정 솔직하게 이야기하기
또 뭐가 있더라…

질투나! 당신들의 재능
전대문

"엄마 책을 만들려면 인디자인이라는 프로그램을 다룰 줄 알아야 하는데, 그러려면 맥북이 있어야 해."

이 말로 엄마를 설득해 대학교 4학년 때 맥북이 처음으로 내 손에 들어왔다. 물론 맥북이 아닌 컴퓨터에서도 인디자인을 사용할 수 있지만, 내 목적은 맥북이었다. 60년생인 엄마가 인디자인이고, 맥북이고 뭘 알겠나? 첫째 딸이 저렇게 조르니 사줄 수밖에.

노트북 표면에 하얀 사과 모양 불이 딱 켜지면 인디자인을 배우고자 하는 열정도, 그리고 내 인디자인 실력도 늘 줄 알았다. 그때 인디자인을 켰으면 좋았을 텐데, 10년이 지나서야 처음 써봤다. 작년 여름에 책 만들기 클래스에 등록했는데, 실습 과제 중에 인디자인으로 책 편집하기가 있었기 때문이다.

나는 툴을 잘 다루는 사람들이, 손재주가 있는 사람들이 항상 부러웠다. 그들에겐 특별한 무언가가 있는 것 같았다. 나는 대학에서 현대 미술 이론을 복수 전공했는데, 사실은 이론보다는 실제로 그림을 그리거나 사진 찍는 일을 하고 싶었다. 하지만 창작의 재능이 없는 것 같았다. 창작의 언저리에서 뭐라도 배우고자 선택한 게 미술 이론 공부였다. 말하기 부끄럽지만, 나는 시인도 되고 싶었다. 그런데 시 쓰는 데에도 영 소질은 없었다.

작년에는 무조건 일러스트레이터와 포토샵을 배울 거라며, 30만 원을 들여 클래스 앱에서 평생 수강권을 구매했고, 매월 일러스트레이터 구독 비용으로 어도비에 27달러씩 지출하고 있다. 등록하고 지금까지 일러스트레이터를 열어 본 횟수는 다섯 번이나 될까? 맥북은 여전히 쓰고 있다. 주로 워드와 피피티를 사용하고 있지만.

누군가는 꾸준히 책을 만들고 있지 않냐고 되물을 수도 있지만, 나에게 창조란 점선면만으로도 나를 압도하는 아우라 있는 무언가를 만드는 것이다. 하지만 나의 글은 사변적이라, 압도할 수는 없으니 스스로 글재주가 있다고 말하지 못할 수밖에.

이번 기회에 솔직하게 말하고 싶다. 가까이는 아트디렉터와 카피라이터, 멀리는 시인 분들의 재능이 너무 멋져 보이고, 질투 나요. 어떻게 그런 기발한 생각을 하는지, 갑자기 재미있는 단어와 그림을 그려낼 수 있는지 붙잡고 물어보고 싶은 심정입니다. 여러분을 선망하며 나는 앞으로도 매월 27불을 어도비에 바치고, 몇 년에 한 번씩 맥북을 바꾸는 일을 반복하겠지요.

이것도 재능이라면 재능
권동력

Y.

베를린 거주, 인플루언서, 실존 동기. 눈물을 자주 흘리는 특징이 있다. 살면서 만난 가장 비슷한 텍스쳐의 사고방식을 가진 사람. 집에 간다고 하면 갑자기 브랜드 옷을 꺼내주며 사람을 현혹한다. 현재 한국에 체류 중, 인터뷰를 시도한 날 오랜 시간 동안 연락이 두절되었다가 저녁에 겨우 통화 연결. 그나마 셋 중 가장 간결하고 정확한 인터뷰에 응해줘서 35점 득점. 선두를 달리는 중.

Y : 커리어적인? 아님 인간적인?
NA : 어…그런 뭐 상관없이 니가 말하고 싶은 거 말하면 돼.
Y : 쓰읍... 동력이.. 그러니까.. 권동력이는 믿을 만한 게 있지.
NA : 그게 뭔데?
Y : 신뢰.
NA : 신뢰? 아, 신뢰가 가는 인간?
Y : 어. 두 번째는, 상당히 웃기다.
NA : ㅋㅋㅋㅋㅋㅋㅋㅋㅋㅋㅋㅋ
Y : 왜? ㅎㅎㅎㅎㅎㅎ. 그.. 웃긴데 되게 창의적이랄까요? 좀 어디 있는 레퍼런스가 아니라 되게…
NA : 그래요?
Y : 장르… 창조적인 거?
NA : 장르를 창조하는 개그를 제가 한다는 이… 말씀이시죠?
Y : 네 장르 창조적 개그. 그런 거 있잖아. 김연아(웃음) 싫어하고, 그런 거.
NA : 아 김연아 싫어하고? 응. 그거는~ 난 이걸 너가 개그로 받을 때마다 서운하다. 진짜 나 김연아 싫어서 몇 날 며칠 밤낮을 울었어요. 시샘해가지고!

Y : 금메달 땄을 때 언니 막 (웃음)

NA : 트리플 악셀 성공했을 때!!!!

Y : 김연아 컨디션 너무 좋아가지고 ㅋㅋㅋㅋㅋㅋㅋㅋㅋ

N.

암스테스담 거주 중, 모션그래픽 디자이너 겸 [전문 찾개]. 자신을 레퍼런스 프로 찾개로 소개한다. 하지만 찾는 것을 시키면 쉽게 빡치는 특징이 있다. 거의 매일 통화. 누구보다 정신을 많이 공유하고 있기에 매일 투덕거리고 서로를 비난하는 것을 멈출 줄 모르나 동시에 어쩔 수 없이 가장 동정하는 관계다. 콘티를 그리다가 자신이 직접 전화했음에도 10데시벨로 속삭이면서 이럴 거면 인터뷰 못 한다고 해서 나를 화나게 했다. -200점.

NA : 그래도… 어느 정도는 소리를 내야 하지 않으실까요? 이렇게 하실 거면…

N: 안 돼요.

NA: 잠깐만 그러면 제가 문을 그럼… 아, 이 정도면 너무 안 들리는데? 조금, 조금은 더 키워봐요

N : 그럼 인터뷰 하지 마!

NA: 죽고 싶냐? 개똥만도 못하고 싶어 지금?

N: ....

NA : ....여보세요? 끊었니? 끊었어요?

N : 아니… 나 있어. 쓸데없이 말 걸고.

NA : 지금 저한테 하시는 말씀이세요?

N : 아ㅋㅋㅋㅋㅋ 아니요~아니요.

NA : 지금 미친 거 아니에요?

N : 그렇게 들렸어요? ㅋㅋㅋㅋㅋ

NA : 지금 나 돌려서 깐 거 같은데, 이러시면 저희 관계 유지 못 해요. 그렇게 아세요. 아, 이거 하나만 물어볼게. 짧게 대답해도 돼.

N : 모 하는 거야? ㅎㅎㅎㅎㅎ권동력? 컨셉츄… 컨셉츄얼하다.

NA : 컨셉충이라는 뜻인가요…?

N : 네 네. 컨셉츄얼한 생각이 가득하다.

NA : 알았어. 거기까지. 여기까지 할게요.

L.

마포 거주 중, 최근에 2세를 얻은 세상 예민한 '미술하는' 남자. 반짝이는 것을 좋아한다. 프리랜서 촬영감독. 남성으로 추정되나 그 누구보다 에스트로겐이 많이 분비되고 있다. 짧은 인터뷰를 요청하였으나 학술적 의미에서부터 조언, 지적, 칭찬을 번갈아 가며 대략 1시간 6분 정도 떠들었고, 자신은 비주류 셀러브리티가 되는 게 목표라는 나와는 전혀 상관없는 결론으로 통화는 종료되었다. 골 때리는 인간이지만 대화하면 재밌다. 인정. +10점 드린다.

H.

L의 부인이자 대학 동문. 가장 허약한 것처럼 보이지만 우리 중에 최상위 포식자. 배우자의 잠버릇으로 인해 청력이 많이 손상된 것으로 추정. 그런데도 다른 감각을 발전시켜 어디로 소리를 듣는지는 모르겠으나 말귀를 잘 알아들음. 내가 주접 떠는 것을 유난히 좋아해 준다. L과의 통화 중간중간 추임새를 넣다가 어느새 사라졌다. 항상 Fade in으로 들어와 Fade out으로 사라진다. 최상위 포식자의 점수 매기기는 생략.

Dialog : 전혀 요약하고 포인트를 발견할 길이 없어 이 둘과의 1시간 6분

통화 내용 기록은 포기선언.

가장 인정할 만한 나의 재능이라면, 자신과 비슷한 인간을 수많은 사람들 사이에서 발견하고 그들과 협력적 관계를 형성한다. 그 사이에서 지극히 모순적이고 허접하고 허영과 결핍이 가득한 스스로를 이해 받는 방법을 안다. 그렇게 드문드문, 그러나 주기적으로 찾아오는 삶에 대한 공포심과 회의감을 매번 리셋하고 생을 연장해 나가는 사람. 제일 오래 좋아하는 사람들에 둘러싸여 살 사람. 진짜 최고의 재능.

곁에 있어줘서 고마워요.

옷수저
존레순

술병이 나서 급히 연차를 내고 동태 눈깔로 침대 구석에 틀어박혀 하염없이 인스타그램 릴스를 보던 어느 평일 낮이었다.

"진짜 적성을 찾는 법"

딱히 일이 적성에 안 맞는 것도 아니고, 그렇다고 무슨 번아웃 같은 것도 아니고, ('번'한 적이 없고 그냥 '아웃'인…)갈 길을 잃었다는 생각을 한 것은 아니지만서도 '10년 뒤에도 이 일을 하고 있을까, 100세 시대라는데 나 뭐 해 먹으면서 100살까지 사나?'란 생각은 끼니마다 하는 나도 어쩔 수 없는 직장인이기에… 보이지 않는 손에 이끌려 단숨에 클릭해 버렸다.

대충 그런 내용이었다. 나한테는 당연한 일상과 같은 것들이 남들에게는 "그런 거 어떻게 해?"라고 대단하게 여겨지는 것이 있다면 그게 내 진짜 적성이라고. 곰곰이 생각해 보니 나도 그런 게 하나 있긴 하다. 바로 유튜브. 남들 다 보는 유튜브가 무슨 적성이냐고?

나에겐 코미디언 친구 하나가 있다. 회사에서 도보로 10분이면 그 친구가 사는 집에 갈 수 있다. 나인투식스 노동자인 내게 회사 근처에 사는 친구가 있다는 건 큰 축복이다. 팀원들끼리 점심 메뉴 타협이 잘 안될 땐 10분만 걸으면 됐다. 퇴근하고 집 가기는 싫은데 어디 갈 데가 없어도 도보 10분이면 됐다.

끝내주게 섹시한 여자보다 죽여주게 웃긴 여자가 꿈인 우리들은 매일 내일 웃긴 얘기를 하고, 웃긴 것을 보면 서로에게 보여주려고 안달이 나 있다. 그래서 우리의 메신저창에는 별다른 대화는 없이 웃긴 짤 웃긴 영상만 있다. 따지고 보면 내가 영상을 우다다다 보내면 그가 마치 웃음 보안관 마냥 몇 점, 하고 매기는 모양새다. 내가 보내는 영상은 주로 트렌스젠더 스트리머의 자극적인 썰과 같은 일상에서는 접할 수 없는 것들이다. 말없이 점수만 매기던 그가 어느날 나에게 말했다.

"너는 근데 이런 거를 어떻게 다 보니?"

무슨 말인지 이해를 못 했다. 어떻게 본다니, 그냥 보는 거지. "보는 데에 돈이 드는 것도 아니고 그냥 보기만 하면 되잖아."라고 했더니, 남 사는 것 하나도 안 궁금해서 브이로그도 끝까지 못 보겠고 무엇보다 재미가 없단다. 애초에 이런 것을 찾는 것이 큰 에너지를 요하는데, 그걸 내가 대신해 주는 것 같아서 사실 이용하고 있다고 고백했다. 나를 이용한다고? 그 말을 듣자 소름이 끼쳤다, 기분이 좋아서.

엄마가 말하길 유치원에서 돌아온 나는 항상 집에 올 때마다 양손이 무거웠다고 한다. 형체를 알 수 없는 쓰레기 같은 것에서부터 가끔은 조금 손을 보면 꽤 쓸모 있는 것까지, 유치원에서 버려진 것들부터 길에서 만난 휴지 조각 같은 것들을 주워 왔던 것이다.

언니들과 나이 차이가 크게 났던 나는 어릴 때부터 관심을 받기 위해 노력했어야 했다. 이건 식구들이 많은 집에서 자란 사람이라면 누구나 공감할 것이다. 우리 가족은 저녁 식사 후 식탁에 둘러앉아 과일을 먹으며 재밌는 얘기하는 시간을 가졌었는데, 큰 언니는 중학교에 입학해 반장 선거를 나가고, 6학년이 된 작은 언니도 학교에서 일어나는 많은 이야기를 할 수 있었다. 그에 반해 나는 '고작 유치원생'에 불과했는데, 지금 생각하면 그 나름대로 재밌는 이야기가 있었을 테지만 어린 마음에 언니들에게는 내 이야기가 시시할 거라고 생각했던 것 같다. 그래서 그때는 열심히 리액션을 했는데 어찌나 관심을 받고 싶었던 것인지 "언니 정말 대단하다!"라는 말 따위도 혹여나 누가 듣지 못할까 봐 식탁 위에 올라가서 빽빽 소리를 질렀다고, 20년이 넘게 지난 지금도 엄마가 이야기하곤 한다.

머리가 조금씩 크면서 집에 돌아올 때의 나는 더 양손이 무거워졌다. 나도 재밌는 이야기를 잘하고 싶어서. 나라는 세계가 가족에서 친구로 더 커져 가면서 누군가에게 웃음을 준다는 것이 그토록 행복한 것이란 걸 깨달았기 때문에 평범한 길을 걸어도 뭐 재밌는 거 없나 눈에 불을 켜기 일쑤였다.

요즘도 크게 다르지 않다. 일도 약속도 숙제도 없는 시간이면 나는 뭔가를 뒤진다. 요즘은 이런 걸 '디깅'이라고 하는 것 같다. 한동안 내 취미는 구독자 수 1,000명대의 브이로거 발굴이었는데, 요즘은 나도 남들 사는 게 크게 안 궁금해져서 브이로그는 잘 안 보게 되어서 중단된 취미다. 그래도 여전히, 홍수같이 쏟아지는 알고리즘 속에서 재밌는 채널과 릴스를 발견해 내는 건, 누가 시키지 않아도 하는 일이다. 특히 릴스를 보는 건 나에게 호흡과도 같은데, 내게 릴스를 보내주는 친구들이 항상 하는 말이 있다.

"웃겨서 니한테 보내려고 하면 니가 이미 다 '좋아요'를 눌러 놨다."

나만큼 웃긴 릴스를 많이 보는 친구가 둘 정도 있는데, 꼭 내가 웃겨서

'좋아요'를 누르려고 하면 걔네들도 항상 눌려 있다. 그래서 요즘의 낙은 걔네가 '좋아요'를 안 누른 릴스 먼저 누르는 거다. 내 친구 중 그 누구도 '좋아요'를 누르지 않은 릴스를 발견할 때면 희열이 느껴진다. 약간 낙을 넘어서 목표가 된 것 같기도… 그렇다고 집착하는 정도는 아니고. (그래서 말인데 내가 인스타그램에 '좋아요'를 누르는 것은 정말 좋아서 그런 것이 아니라 그냥 일종의 무의식적인 발자국 남기기 같은 것이므로 혹시나 저를 팔로우하고 계신 분 중에서 제가 이상한 릴스에 '좋아요'를 눌렀다고 해서 어떠한 오해나 판단하지 않으셨으면 좋겠습니다.)

다들 나에게 웃수저를 물고 태어났다고 하지만 이건 후천적인 노력에 의한 웃수저라는 건 태어나 처음 밝히는 바이다. 이건 이 글을 읽고 있는 당신과 나의 비밀이니까, 하나 당부를 하고 싶다. 지금도 내 꿈은 '웃기는 여자'라는 거. 못생겼다, 성격이 나쁘다 같은 말보다 안 웃긴다는 말이 내게는 더 치욕적이니까, 훗날 당신이 나를 만나게 될 때는 부디 '안 웃기다'는 말은 삼가길 바란다. (하지만 웃긴 사람이라고 나를 기대하지도 말아 주었으면 좋겠다.)

근데 찔려서 하는 말인데, 그렇다고 딱히 내가 디깅에 소질이 있다고 하기엔, 일할 때 해야 하는 레퍼런스 찾기는 죽어도 못하겠다... 디깅도 디깅 나름이니께!

올해의 탈렌트
장철수

'탈렌트'를 주제로 한 글 마감일은 2023년 11월 10일. 일 년을 꼬박 준비한 장철수의 결혼식은 2023년 11월 12일. 글 대신 사진 한 장으로 대체할까 한다. 절대 글 쓰기 싫어서가 아니다. 결혼. 지금의 나에게 이만한 탈렌트는 없기 때문이다.

까탈

아빠에게는 아빠만의 음식을 대하는
수천 가지 조건이 있었다. 그 수천 가지 조건을
맞추기 위해 노력하는 엄마의 모습을 볼 때마다
나는 그 입맛이라는 게, 고작 그 입맛이라는 게
엄마를 고생시키는 것보다 중요한지 늘
의문이었다.

「까탈은 유전인가」 중

그레이진 안 사면 죽는 병
전대문

며칠 전, 스웨덴 출신 디자이너 브랜드인 'SEFR'에 꽂혔다. 5년도 안 된 신생 브랜드지만 디자이너 브랜드다 보니, 편집숍에 주로 입점해 있는데 가격이 꽤 비쌌다. 심지어 남성 브랜드라 구매해 놓고 자주 입을 자신도 없었다. 하지만 갖고 싶었다. 가격이 비싸지만, 썩 정가로 사긴 부담스러운 옷이 사고 싶을 땐? 중고 거래 앱을 켠다. 그리고 어김없이 그 브랜드에서 나온 그레이진을 찾는다. 운 좋게도 좋은 셀러를 만나서 시착만 해본 40만 원짜리 제품을 택배비 포함해 5만 원에 구매했다. 약간의 보랏빛도 나고 이염 처리도 돼 있는 독특한 바지를 싸게 득템했으니 오늘 운은 다 썼지, 뭐.

그레이진을 안 사면 죽는 병에라도 걸린 걸까? 나는 틈만 나면 그레이진을 산다. 다른 옷은 색이나 디자인에 구애받지 않는데, 유독 이 색에서만큼은 고집스럽다. 전 세계 직구 사이트가 세일을 시작하면 나는 미리 장바구니에 담아둔 바지의 할인율이 높아지기만을 기다린다. 50퍼센트에서 시작해 70퍼센트까지 할인율이 높아지거나 관세가 부과되지 않는 구간에 도달하면? 자, 신용카드 출동하세요.

그레이진을 진심으로 대하는 만큼 구매의 여정도 지난하기 그지없다. 이참에 소비를 통해 축적한 그레이진 구매할 때 고려 조건을 리스트로 만들어보겠다.

1. 블랙에 가까운 그레이 색이어야할 것
2. 허리 뒷면에 있는 브랜드 태그가 크지 않을 것

3. 무조건 일자 라인
4. 브랜드 아이덴티티가 확실히 드러나는 브랜드여야 할 것

자, 이렇게 고민을 거듭하고, 장바구니에 담아놓고 세일을 기다리며 할인율을 체크하는 인고의 시간 끝에 그레이진이 내 손에 쥐어진 다음엔? 응당 패션은 과시의 욕구가 응집된 세계로 "오 너 새 옷 샀네, 너무 잘 어울린다."라는 말을 들어야 한껏 기분과 소비 만족도가 높아지건만, 그레이진은 새것을 알아주는 이 하나 없는 외로운 세계에 있다. 그저 색이 요란하면 요란함을 눌러주는 용도로 쓰이기에, 내가 한 달간 장바구니를 들락날락한들 타인에겐 그저 어두운 바지일 뿐이다.

나에겐 작은 소망이 있다. 언젠가는 "와 너 멋진 핏의 혹은 멋진 색의 '그레이진'을 입었구나."라는 칭찬을 듣는 것이다. 아니다, 여기까지는 안 가도 된다. "바지 샀어?"정도의 반응이어도 나는 마음속으로 덩실덩실 춤을 추고 있을 것이다.

실버블루 컬러로 탈색하고 동료들의 탈색했냐는 말을 들을까 출근 전날부터 전전긍긍하고, 되도록 나의 호불호를 드러내지 않기 위해 최선을 다하는 나다. 그런 내가 그레이진에서 만큼은 맘껏 까탈 부리고, 파워 인싸가 되고 싶다. 나와 매주 글을 공유하는 사조직 분들만이라도 알아주라. 오늘 산 그레이진이 지금 나에게 오고 있으니, 내가 짜잔 입고 나타난다면 무한 칭찬해 주시길!

+ 후일담
번개장터로 산 세퍼 바지는 나에게 작아 이 브랜드를 좋아하는 친구에게 주었다. 북유럽 남자들의 슬림함을 간과한 결과다.

예민찬양
존레순

말이 주는 부정적인 어감 때문인지, 어떤 사람이 까탈스럽다고 했을 때 대부분 그 사람을 대하는 것을 어려워 하거나 피하는 경우도 많다.
나 역시도 그렇다.

아이 셋을 키운 우리 엄마가 말하길, 첫째 둘째도 한 까탈했는데, 이렇게 아기가 까탈스러울 수 있는지 나를 키우면서 알았다고 했다. 어른들이 예뻐서 쳐다보면 쳐다보지 말라고 울고, 예쁜 옷이 있어서 사주면 그 옷에서 무슨 냄새나 난다고 (모두가 맡아봤을 때 아무 냄새도 안 났다고 함.) 사촌의 결혼식장에서 옷을 다 풀어 헤치고 앉아 있고, 밥도 적당히 고슬고슬한 밥 아니면 절대 먹지 않았다고 하는데, 이럴 때마다 우리 엄마는 시댁살이하지 않은 것을 셋째딸인 나로부터 벌로 받는가 생각했다고 한다.

그랬던 나는 자라면서 만난 나보다 더 까탈스러운 사람들을 통해서, 그리고 스스로가 너무 예민하면 괴로워지는 경험을 여러 번 겪으면서 그냥 덤덤하게 살기를 선택했다. 우리 가족을 제외한 사람들에게 내가 어릴 때 난이도 극상의 아기였다는 것을 이야기하면 거짓말하지 말라고 한다. 하지만 여전히 기질적인 것은 남아 있어, 까탈스러운 부분이 남아 있기도 하며, 어떤 치명적인 상황에서는 그런 기질이 나오기도 한다.

그래서인지 나는 까탈스러운 사람이 싫지 않다. 까탈스러운 사람은 기본적으로 자신에 대한 기준이 확고하기 때문에 대화가 재밌다. 너무 우유부단한 사람은 매력이 없어 재미도 없다. 물론 너무 확고한 자기만의 기준과 세상은 부담스럽지만, 그 나름대로 그의 세상을 구경하는 것도 재밌는 일이니까.

혹시 주변의 까탈스러운 사람이 있다면 한번 제대로 들여다보면 좋겠다. 딱히 그러고 싶지 않은 것 같은 당신을 위해, 까탈스러운 사람과 함께 하면 좋은 몇 가지를 특별히 소개하며 글을 끝내겠다.

1. 기본적으로 먹는 것도 아무거나 안 먹는다. 같이 뭘 먹을 때 그냥 아무거나 좀 먹었으면 좋겠는데 싶다가도 영겁의 메뉴 선정 시간이 지나고 나면 환상의 미식을 경험할 수도 있다. 그 맥락으로 사람들이 별로 모르는 맛집도 많이 알고 있을 가능성이 농후하다.
2. 어디 가서 불리한 일을 겪으면 대부분 나 같은 사람의 경우에는 사람들의 눈치를 보기 때문에 큰일을 만들고 싶지 않다는 생각에 참는다. 하지만 까탈스러운 사람들의 경우 그런 것을 절대 참지 않기 때문에 만약에 까탈스러운 사람의 기준에 당신이 '소중한 사람'의 바운더리 안에 들어왔다면 당신 대신에 싸워줄 것이다.
3. 또 뭐가 있지… 근데 너무 자주 만나면 기가 빨리니까 계절마다 한 번씩 정도로 만나는 게 좋다.
4. 혹시나 까탈스러운 이들과 함께하면 좋은 점을 아는 사람은 아래 빈칸에 펜으로 적어보시면 좋겠다.
5.

까탈은 유전인가
장철수

어렸을 적엔 아빠의 까탈스러운 입맛이 이해가 안 됐다. 아빠의 양념장은 된장과 고추장을 베이스로 하고 청양고추는 살짝, 마늘은 프라푸치노도 아닌데 꼭 '반갈반통'으로. 찌개는 새우젓이 새끼손가락 한마디만큼 더 들어가야 하고, 밥은 적당히 질어야 한다. 육사시미와 생선회, 문어숙회는 두껍게 썰려야 제대로다. 아빠에게는 아빠만의 음식을 대하는 수천 가지 조건이 있었다. 그 수천 가지 조건을 맞추기 위해 노력하는 엄마의 모습을 볼 때마다 나는 그 입맛이라는 게, 고작 그 입맛이라는 게 엄마를 고생시키는 것보다 중요한지 늘 의문이었다. 다 차려놓은 밥상에서 굳이굳이 엄마를 일으켜 또 다른 양념을 찾고, 김치를 찾고, 반찬을 찾는 그런 아빠가 이해가 안 됐다.

그런데 유전자란 정말 무섭다. 어느새 내가 그러고 있다. 올해 초, 본가에서 밥을 먹다가 내 젓가락 주변에 놓인 다섯 가지의 전용 양념장이 눈에 띄었다. 육사시미는 기름소금에, 구운 부챗살은 기름 없는 소금에, 세꼬시는 간장에, 문어는 엄마표 전용 고추장에, 배추전은 그 고추장이 섞인 간장에. 양념장 맛으로 음식을 먹는 것은 아니지만, 어떤 음식에 딱 맞는 양념장을 찍어 먹을 때 느끼는 환상적인 맛을 그리도 놓치기가 싫었던 것이다. 새로운 음식이 나올 때마다 엄마에게 딱 맞는 양념장을 찾던 내 모습에서 나는 아빠를 보게 되었다.

입맛이 까탈스럽기를 타고나 아빠의 모습이 된 걸까, 아빠의 모습을 보고 배우다 보니 입맛이 까탈스러워진 걸까. 흡사 괴물은 태어나는 것인가, 만들어지는 것인가와 같은 질문이다. 뭐가 됐든, 선천적인 것도 후천적인 것도 유전임은 틀림없다.

아빠와 닮았다는 말이 참 싫었다. 입맛처럼 성격도 까다롭고 감정은 더 까다로운 그였다. 기분을 거스르면 금방 표가 나버렸다. 집안의 분위기를 얼어붙게 만드는 것도, 살살 녹아들게 만드는 것도 그랬다. 그런 내가 아빠를 닮았다니. 엄마는 내가 제멋대로 굴거나, 자기 성에 못 이겨 씩씩 대면 그런 나를 보고 아빠를 닮았다고 했다. 누구나 자기가 갖고 있는 혹은 키워온 성격에 장단점이 분명하게 있다는 것을 알지만 그 모든 걸 포용하기엔 내가 너무 어렸다. 그저 나는 아빠의 단점만 보였고 그 단점을 내가 쏙 빼닮았다는 사실에 좌절했다.

스무 살엔 언젠가 엄마에게 소리쳤던 기억이 있다. 코스트코 주차장이었던 것 같다. 장을 보다가 했던 나의 투정 섞인 소리에 엄마는 나에게 또 아빠를 닮았다고 말했고, 그간 쌓여온 어떤 혐오감과 자격지심이 뒤엉켜 폭발하고 말았다. 아빠 닮았다는 말 좀 그만하라고, 아빠는 아빠고 나는 나라고. 왜 유독 나의 단점만 보면 아빠를 닮았다고 하냐고, 그러니까 내가 아빠를 더 싫어하게 된다고. 울분을 토하며 나는 소리쳤다. 엄마는 적잖이 당황했고 앞으로는 안 그렇겠다고 했다. 그 후로 몇 년간은 정말 엄마가 그런 말을 하지 않았다.

불효인가라는 생각도 자주 했다. 아빠를 닮아버린 나 스스로를 자꾸만 부정하고 화내고 도망가는 건 불효인가. 똑같은 성격을 가진 아빠와 나 사이에서 양쪽을 중재하고 맞춰야 하는 엄마에게 책임을 떠넘기는 건 확실히 불효겠지. 그럴 때마다 죄책감을 느끼며 다른 누군가의 자식들도 그럴 거라 합리화했다. 나의 이십 대는 대부분 그렇게 흘렀다.

이제는 안다. 아빠와 똑 닮았음을, 어쩔 수 없음을. 인정하기로 한다. 어차피 아빠의 까탈스러운 성격을 부정하면 할수록 부정당하는 건 나다. 아빠를 보며 도무지 이해가 안 되는 부분은 반면교사 삼아 고치면 되고, 좋은 부분은 그대로 받아들이면 된다. 까탈스러운 입맛 덕분에 나는 음식과 술을 진정으로 즐기는 어른이 되었고, 까탈스러운 호불호 덕분에 나는 내가 좋아하는 것을 잘 알고 잘 말하는 어른이 되었다. 이것 역시 유전이겠지.

서른이 된 아직도 가끔 아빠랑 싸운다. 어떤 포인트에서 아빠가 화를 내는지 잘 알면서도 끝내 꼭 그 포인트를 끄집어 아빠를 화나게 한다. 또 아빠가 진심과 다른 농담으로 나를 건드릴 때 그게 아빠 딴은 애정 표현인 걸 알면서도 성을 낸다. 다만 이제는 그렇게 죽어라 싸우는, 똑같은 얼굴에 똑같은 표정, 똑같은 말투를 한 우리의 모습이 우스워서 속으로 피식 웃어버린다. 죄송하다고 말하며 그를 살살 달랜다. 그러곤 또 서로의 심기를 건드리며 싸우겠지. 아빠와 함께하는 동안 아마 난 영영 불효자식일 것이다. 그게 부모와 자식이고 가족 아니겠는가.

그냥 앉고 싶은 곳에 앉고 싶어요
킴카나다

무던함이 내가 가진 성격의 장점 중의 하나라고 믿고 있지만 그런 내가 까탈스럽게 생각하는 것이 하나 있다. 나는 특정 장소의 자리나 좌석에 조금 예민한 편이다. 작게는 엘리베이터 안 서있는 위치부터 식당이나 대중교통 등 모두에게 조금씩 자기가 좋아하는 자리나 영역이 있기 마련인데, 그것들에 조금 더 집착하는 이유가 뭘까 생각해 봤다. 나에게 있어서 자리에 대한 까탈스러움은 일상생활을 더 즐겁게 지키기 위한 나의 작은 고집이라는 생각이 든다.

내가 좋아하는 자리를 몇 개 얘기해 본다면 나는 버스에서 운전석 대각선에 있는 첫 번째 자리(사고가 났을 때 가장 큰 피해를 보는 자리라 해서 탈 때마다 조금은 두렵지만)와 버스 뒤편 타이어 위치에 있는 자리를 선호한다. 출근할 때면 그날 하루의 운을 내가 좋아하는 버스 좌석이 빈자리로 남아 있는지 아닌지로 확인하는 소소한 버릇이 있다. 그 좌석들의 장점은 자리 자체가 높아서 멀미를 잘 안 하게 된다는 점과 창문을 내 의지대로 열 수 있다는 점이다. 여름이 되면 가끔 지구 사랑을 몸소 실천하시며 에어컨 가동에 후하지 않는 기사님을 만났을 때와 추운 겨울 퇴근길 모두가 한마음 한뜻으로 패딩 부대가 되어 발 디딜 틈도 없이 만석을 이룰 때, 그때마다 이 좌석들 앞 창문만이 나의 유일한 숨 쉴 구멍이 되어 준다. 회사원에게 출근길은 절대 즐거울 수 없지만 그래도 텅텅 빈 버스 안에서 내가 좋아하는 자리에 앉아 창문을 열고 불어오는 바람을 맞으며 좋아하는 노래를 듣고 있으면 출근길이 나쁘지만은 않다는 착각이 들곤 한다. 그것마저도 승차 벨을 누르면 끝이 나긴 하지만…

식당과 카페에서는 보통 모두가 선호하는 자리를 나 역시도 선호하곤 하는데. 남편과 같이 갈 때면 마주 보고 앉는 자리보단 서로 나란히 앉을 수 있는 바 좌석을 좋아한다. 더 긴밀하게 붙어서 서로 챙겨주면서 식사할 수 있다는 점이 좋고, 크게 말하지 않아도 서로의 말이 들린다는 점이 특히 좋다. 그래서 기념일 식사엔 특히 바 좌석이 좋은 곳으로 고르게 된다.

사실 식당에선 내가 좋아하는 자리에 앉을 때보다 내가 피하는 자리에 앉지 않는 것이 더 중요한데, 우선 첫 번째로 내 정면 시야에 화장실 문이 있으면 무조건 탈락이다. 나도 모르게 시선이 화장실 문을 향하게 되면 보고 싶지 않은 것들과 자주 마주하게 되기 때문이다. 허리춤을 부여잡고 벨트를 잠그면서 나오는 사람을 본다거나 여닫는 도중에 화장실 변기나 곰팡이 핀 타일과 까꿍! 하며 눈이 마주치기라도 하면 식사하고 싶은 마음이 뚝 떨어진다. 그리고 내부가 보이지 않더라도 보려 하지 않아도 나도 모르게 누가 들어가고 나가는지 알게 되는 그 불필요한 정보가 식사하는 동안 머릿속으로 입력되는 것이 썩 유쾌하지 않다. 그 밖에도 입구 문 바로 앞자리, 너무 큰 소리로 떠드는 단체 옆자리, 부엌과 가까워 알고 싶지 않은 부엌 내부 사정이 고스란히 보이는 자리 등등 불편한 자리에 앉느니 다른 식당을 선택하는 편을 택한다. 이런 까탈스러운 나를 맞춰주고 이해해 주는 남편에게 늘 고마울 따름이다.

나의 자리에 대한 작은 집착은 하루하루 행복할 수 있는 아주 소중한 기회를 작은 허점으로 허투루 날리지 않겠다는 의지가 있는 한 앞으로도 계속될 전망이다.

단어에 주의해 주세요
권동력

#1
소파에 누워 수다를 떨다가, 화 좀 그만 내라는 친구의 말에 눈을 동그랗게 뜨며 "나라는 사람은 근 10년 동안 화를 내본 기억이 없다"고 했다. 대답을 들은 친구는 나보다 더 큰 토끼 눈을 떠 보이더니 그럼 자기가 본 건 뭐냐고 되물었다. 기억을 대충 훑어봐도 과실에선 동기들과 길바닥에선 선배 오빠들에게 눈을 부라리던 에피소드만 해도 수십 개가 넘는다나?

시시때때로 감정이 격해져서 언성이 좀 높아진 적은 종종 있으나 10년 동안 화를 낸 적은 결단코 없다.

사람이 격분하면 언성이 조금 높아지고 그럴 수 있지. 나의 기준에서 화를 낸다는 건 조금 더 깊은 곳에서 치고 올라오는 사자후 같은 것. 또는 진짜 폭발하여 시원하게 쏟아내는 완벽한 어둠의 덩어리 같은 것이다. 내가 진짜 화를 냈다면 말이야 어휴~

"여기까지만 말할게~~?"

#2
독일에서 지낼 때 3년이 지나도 독일어 못하는 건 조금 아니지 싶어 부랴부랴 독일어 학원에 다니기 시작했다. 그때가 30대 초반의 나이였는데 머리는 이미 굳을 대로 굳어있었다. 생각해 보니 고등학교 때나 책상에 앉아있었지, 예대를 가는 바람에, 게다가 다이내믹한 실습 위주의 학교를 가는 바람에 글쎄 20대부터는 책상에 앉아 글자를 오래 볼 일이 없었다.

어쨌거나 몇 개월을 꾸역꾸역 다닌 후에 대학원이나 써볼 요량으로 B1 레벨 시험을 쳐야만 했는데, 나름 들썩이는 엉덩이 붙잡아가며 노력을 해보았지만, 번번이 결과는 나를 배신했다. 어떤 때는 리스닝이, 어떤 때는 라이팅이… 결국 나는 독일어 시험에 대차게 실패했고 시험 결과가 나오는 날 엄마에게 전화가 왔다. 시험은 어떻게 됐냐는 물음에 나는 잘 안됐다고 답했는데 엄마가 대뜸 "그럼 포기한 거네?"라는 것이다. 나는 약간 신경이 거슬리는 것을 꾹 참고

"아니야, 포기가 아니고 실패했어, 엄마."
"아니 그러니까 포기한거네 그럼."
"아니 엄마 포기가 아니고 실패! 실패한 거라고. 포기랑 실패는 다르지."
"그게 그거지 다르긴 뭐가 달라~"
아니 포기랑 실패가 어떻게 같아 엄마아아악!!! 악!

짚고 넘어가자면 이때도 화는 아니고 언성이 살짝(?) 높아졌던 것 같다.

#3
초등학교를 막 졸업한 중학생 때였던가. 아들이 귀한 집도 아니었으면서 여전히 유교적 사상으로 범벅된 채 살아가는 가풍에서 자랐다. 그나마 행운이었던 것은 나의 부모님은 적어도 그 가풍에서 벗어나 있었다는 것이다. 덕분에 평소에는 '딸'로 사랑받았으나 할머니 댁에만 가면 가풍에 심취한 고모들이 쏟아내는 이상한 말들로 상처를 받곤 했다. 고모들은 간식거리로 사 온 초콜릿도 나는 절대 못 먹게 하고 남동생만 주면서 남동생이 비쩍 마른 것을 이유 없이 내가 잘 먹는 탓으로 돌렸으며, 심심하면 나더러 "너는 시집가면 그만인 출가외인이야."라고 했다. 그럴 때면 나는 지지 않고 그러는 고모는 출가외인이면서 왜 자꾸 우리 할머니 집에

오냐고 쏘아붙이곤 했지만, 마음속에는 자그마한 흠집들이 나고 있었고, 내가 여자라는 사실보다 차별이라는 개념에 노이로제가 걸려 가고 있었다. 그러던 중 하루는 이 노이로제로 인해 웃지 못할 에피소드가 생겼다. 아빠가 누군가와 거실에서 통화를 하는 소리를 들었는데 대략 주말에 뭘 할 거냐고 상대방이 아빠에게 물었고, 아빠는 아들을 데리고 공룡박람회에 간다고 대답했다.

나는 뒤에서 통화를 가만히 듣고 있다가 아빠가 전화를 끊자마자 왜 아들만 데리고 가냐고 지랄 발작을 일으켰는데, 그때 어이없어하던 아빠의 표정이란-

아빠는 아들이 아닌 아~들을 데리고 박람회에 갈 거라고 대답했었고 나는 그걸 아들이라고 듣고 오해를 한 것이었다.
- 사투리 발음상 애들을 알라들 혹은 아~들이라고 합니다.

아빠, 그건 다 아빠 누나들이 나를 노이로제 걸리게 한 탓이었어요. 그때 목이 긴 조악한 초식공룡 동상 앞에서 핑크색 자켓을 입고 찍은 사진이 아직도 기억난다. 다행히 아빠는 아들만 데려가지 않았다.

오늘의 점심 메뉴, 언제 만날 거냐는 약속, 잠자리, 패션, 청결, 여행 스타일, 음악 장르, 영화나 책. 취향은 있을지언정 또 아니면 아닌 대로 나름 까탈스럽지 않다고 말해볼 순 있겠는데, 개념을 담은 요상한 정의와 애매한 단어 같은 것들은 도저히 넘어가질 못한다.

그것이 화였는지 혹은 포기였는지, 여자와 차별 사이의 혼돈이었는지- 그런 것은 아무래도 좋았으나 마음을 헤아려 주지 않고 쉽게 어떤 개념의 덩어리로 뭉뜨러져 명명되는 단어들이 때로는 나에게 너무 폭력적이었다. 그 단어 뒤에 숨겨둔 수많은 생각들을 무시당하는 느낌이랄까? 물론 이거야말로 별것 아닌 걸로 정말 까탈을 부리고 있는 거겠지만-

아니, 쓰다 보니 또 거슬리네- 이건 사실 까탈스러운 게 아니고 예민한 거지. 맞지! **까탈** 아니고 **예민**이지!

더 정확히는 타인에겐 예민하고 스스로에겐 까탈스러운 인간이지.

시선강탈

단 하나의 예외는 어김없이 생긴다.
그것은 경의선 숲길을 수없이 오가는 귀여운
강아지들. 대화를 하는 도중 두 눈에
'강아지 레이더'라도 탑재된 듯, 걸어오는
강아지들에게 자석같이 집중력을 빼앗긴다.

「취미생활과 볼드모트」 중

취미생활과 볼드모트

킴카나다

내가 제일 좋아하는 시간은 남편과 집 앞 경의선 숲길을 걷는 시간이다. 이 시간을 좋아하는 이유는 온전히 남편과의 대화에 집중할 수 있어서다. 식사 시간에 핸드폰을 보지 말자고 약속하지만, 이런저런 연락과 이유로 그마저도 100% 잘 지켜지지 않는다. 산책만이 핸드폰의 방해 없이 서로의 소소한 얘기에 집중할 수 있는 시간이기에 우리는 이 시간을 제일 좋아한다.

산책할 때면 그 어떤 것도 둘의 대화를 방해하지 않지만, 단 하나의 예외는 어김없이 생긴다. 그것은 경의선 숲길을 수없이 오가는 귀여운 강아지들. 대화를 하는 도중 두 눈에 '강아지 레이더'라도 탑재된 듯, 걸어오는 강아지들에게 자석같이 집중력을 빼앗긴다.

제일 좋아하는 조합은 중년 아저씨와 강아지.
투박한 중년 아저씨가 애지중지하며 강아지와 산책하는 모습이 제일 귀엽다. 왠지 자식들에게는 무뚝뚝해도 강아지한테만은 무장 해제된 상냥한 목소리로 대할 것 같은 아저씨들의 모습을 보고 있으면 괜스레 따뜻해진다.

경의선 숲길은 강아지 천국인데, 날이 분명 춥지 않은데 주인이 입혀준 알록달록 옷으로 돌돌 말려 뒤뚱뒤뚱 걷는 강아지부터, 걸어가는 모든 사람에게 관심을 갈구하며 폴짝폴짝 뛰는 약 6개월 미만의 강아지, 우리와 산책 시간이 겹쳐 늘 마주치는 산책 잘 시켜주는 좋은 주인을 만난 강아지, '개모차'를 타고 세상 나른하고 도도하게 가는 강아지, 주인이 다른 사람과 벤치에 앉아 하염없이 수다를 떨 때 그저 옆에서 묵묵히 기다리는 착한 강아지, 같은 자리를 냄새 맡으며 뱅뱅 돌다가 이내 엉덩이를 폭 내리고 눈썹이 팔자가 된 채 초조해 보이는 표정으로 대변을 보는 강아지, 주인만 믿고 센 척하며 컹컹 짖어 대는 쫄보 강아지까지.

그러다 동그란 먹구름이 낀 듯 탁한 눈동자에, 듬성듬성 빠져있는 희끗희끗한 털을 가진 걸음걸이가 느린 강아지가 보이면 이내 고개를 휙 돌려버린다. 나이 든 강아지를 보는 것은 나에게 쉽지 않다. 나와 전혀 일면식도 없는 사람이지만 그 주인이 겪을 이별의 시간이 그려지면서 내가 기를 쓰고 봉인해 놓은 아픔이 건드려진다.

2001년부터 2015년까지 키운 강아지를 하늘나라에 보낸 적 있다. 이름은 슈슈. 너무 예쁜 시츄의 모습으로 태어난 내 동생. 이별한 지 8년이란 시간이 흘렀지만, 아직도 슈슈 생각만 하면 눈물부터 차오른다. 분명 행복했던 기억이 훨씬 긴데 그 시간보다 마지막 이별할 때의 시간만 선명하다. 아직도 그 순간에 멈춰 있는 것이다. 살면서 겪은 아픔 중에 슈슈와의 이별이 가장 충격적이고 힘들었던 시간이었다. 다른 사람들은 강아지와 이별하면 보고 싶은 마음에 영상과 사진도 많이 찾아본다고 하지만 나는 의식적으로 사진조차 보지 않고 (너무 미안하지만) 생각도 하지 않으려 한다. 엄마와 나 사이에 슈슈는 해리포터에서 금기시되는 이름인 볼드모트처럼 꾸역꾸역 숨겨진다. 누구 한 명이라도 슈슈의 이야기를 꺼내면 바로 다른 화제로 돌려버린다.

언젠가 글로 이 맘을 정리해 보고 싶은 마음도 있었지만, 무엇보다 내 마음을 들여다볼 용기도 필요했다. 그 용기는 슈슈에게 못 해줬던 나를 인정하는 것에서 시작한다. 아픈 기색이 있을 때 괜찮을 거라며 넘기지 말고 병원을 더 자주 데려가 줄걸, 그렇게 좋아하던 산책을 더 자주 시켜줄걸, 더 좋은 음식과 영양제 좀 챙겨줄걸. 요즘은 정말 좋은 제품도 많던데 왜 사랑하기만 했지 살뜰히 챙겨주지 못했을까, 왜 아픈 걸 눈치채지 못해줬을까? 하는 죄책감이 나를 무겁게 짓누르기에 애써 외면해 왔던 것 같다. 슈슈를 나중에 다시 만난다면 그래도 괜찮은 주인이었다는 말을 듣고 싶다. 우리와 함께 사는 동안 꽤 행복했다고 즐거운 시간이 더 많았다고 말해준다면 정말 행복할 것 같다.

감정의 물꼬조차 트기 싫은데 무방비 상태에서 마주치는 예전 기억의 단서는 9년의 세월도 무너트리는 힘이 있다. 가장 좋아하는 취미인 산책이 가장 아픈 기억을 불러일으킨다는 아이러니. 그래도 시간은 흘렀기에 안 좋은 기분이 들기도 전에 바로 환기한다. 떠오르는 아픈 기억을 못 본 척, 예쁘고 건강한 아이들을 보고 그 주인이 함께 느낄 행복만 공감하기로. 산책 도중에 맨날 우울해질 수도 없는 노릇이니까. 나는 버릇처럼 지나가는 강아지들에게 육성으로 인사를 건넨다. 그리곤 꼭 주인이 들을 수 있게 "아이 예쁘다! 너무 예쁘게 생겼다~"라고 말해준다. 행인의 칭찬에 그 주인들이 자기 강아지를 더 사랑해 주고 더 예뻐해 주길 바라는 마음에 일부러 주인이 들리게끔 칭찬을 건넨다. 으쓱해진 주인이 그날 하루만이라도 예정된 산책보다 10분이라도 더 길게 강아지와 거닐어줘서 강아지가 조금이라도 더 행복해질 수 있길 하는 바람으로.

산책할 때 꿈꾸는 작은 바람이 있다. 강아지를 내 의지로 데려와서 키울 자신과 용기는 없지만 정말 우연히라도 길을 가다가 내 손길이 필요한 유기견을 발견한다면 이건 '하늘의 계시이자, 슈슈의 메시지'라고 생각하고 가족으로 맞이하는 바람! 하마터면 주인 없이 혼자 산책하는 강아지를 보고 유기견으로 착각하고 데려가려 했던 웃픈 사건도 있었지만 (그저 주인 가게 앞 가로수에 혼자 소변을 보고 다시 돌아가는 강아지였을 뿐) 다시 강아지를 우연한 기회로 데려오는 날을 바라본다. 그리고 슈슈에게 들었던 죄책감과 미안한 마음을 새로 맞이할 강아지에게 사랑으로 돌려주며 아픔도 씻어내고 마음껏 슈슈를 행복하게 기억하는 그날이 오기를!

그리운 꼬순내

뒷모습
전대문

필름 카메라를 손에 쥔 지 반년이 됐다. 나는 수동 카메라를 사용하기 때문에 노출, 셔터속도, 감도를 일일이 맞춰야 한다. 한 컷을 찍는 데 족히 1분은 걸리는 것 같다. 시간이 오래 걸리기에, 처음엔 나무와 골목 사진을 많이 찍었다. 어딘가에 가만히 있는 사물이거나 공간들 말이다.

그런데 이것들로는 부족했다. 사람이 찍고 싶었다. 사람의 모습들을 프레임 안에 담고 싶었다. 이때부터 길거리를 돌아다니며 뒷모습을 찍기 시작했다. 광화문, 서울시청, 서울역, 강남역에 있는 익명의 사람들, 화장실에 터치스크린 정도가 우리의 존재를 확인시켜 주는 그곳에서 나는 셔터를 눌렀다.

그런데 찍을수록, 사람의 뒷모습을 보며 그 사람의 감정이 느껴졌다. 그들의 시선을 담은 내 사진에서 슬픔을 느끼기도 하고, 따뜻함을 느끼기도 했다. 머리가 훤히 까진 아저씨의 뒷모습에서, 패딩에 몸을 쑥 넣고 거리에서 치열하게 몸을 숨기려는 사람들의 뒷모습에서 나는 외롭고, 슬프고, 애달팠다.

마음을 나누는 것은 서로 마주 바라보고 상대방의 마음을 확인해야 하는 것으로 생각한 적이 있었다. 테이블을 앞에 두고, 손을 맞잡은 상태로 얼마나 서로를 아끼는지, 내가 상대방을 어떻게 생각하는지 증명하는 것이 내가 상대방을 알 수 있는 방식이라고 생각했다. 그런데 사진은 내가 깊게 응시하는 것으로도 타인의 마음을 확인할 수 있음을 알려주었다.

당분간 사진을 통해, 상대방의 마음을 느끼는 경험을 계속하고 싶다. 저 멀리서 바라보는 시선 속 감정을 기다리며, 카메라를 들고 신호등과 광장 주변을 서성일 것 같다.

Romantica!

장철수

"Tu sei romantica"

그런 기분은 처음이었다. 음악이 울려 퍼지고 한 걸음 내딛는 순간, 태어나서 한 번도 느껴보지 못했던 충만한 마음에 나는 터져버릴 것만 같았다. 300명의 애정 어린 시선이 우리에게 꽂히고, 기분 좋은 환호가 가득 차고, 경쾌한 박수 소리가 이어졌다. 개츠비가 이런 마음으로 매일 파티를 열었을까. 몸통을 조인 코르셋만큼 내내 나를 조여왔던 긴장감이 해방감으로 바뀌던 순간이었다. 기쁨과 환희, 그 자체로의 해방감.

결혼식은 그런 것이었다. 우리 사랑의 결실을 우리가 사랑하는 이들의 축복 속에서 맺어 보이는 것. 그 흔한 청첩장의 문구가 이제 나는 하나도 흔하지 않게 느껴진다. 사랑의 결실과 축복이라는 게, 진실에 가까운 진심이라서, 진리와도 같아서 느낄 수만 있다면 한 가지로 여겨지리라. 모두의 사랑은 저마다 위대하다는 걸 여실히 체감한 순간이었다.

이미 결혼을 한 선배들은 그날이 잘 기억나지 않을 거라고 했다. 식이 어떻게 지나갔는지, 누가 왔는지, 어떤 말들을 주고받았는지 정신이 없을 거라고 했다. 맞는 말들이었다. 다만, 내 마음은 선명하게 기억난다. 고마워 죽겠는 마음. 감사하다는 말로 고마움을 더 깊은 의미로 대체할 수 있다면 그게 맞겠다. 그러니까, 감사 그 이상의 벅찬 마음이었다.

우리는 그 마음을 이어 글을 쓰기로 했다. 우리의 결혼식을 보러 와준 이들을 목차 삼아 그 한 명 한 명에 관한 기록을 남기기로 했다. 대신하는 소개이거나, 남기고 싶은 기억이거나, 못다 한 진심일 것이다. 작년엔 결혼식인 11월을 목표로 한 해를 달렸는데, 올해는 결혼 일주년인 11월 글 완성을 위해 힘껏 달려야 할 것 같다.

'저희가 하나 되는 날,
따뜻한 마음으로 함께 축복해 주신다면,
더없이 근사한 출발이 될 것 같습니다'

청첩장에 적었던 문구처럼 말 그대로 우리에게 근사한 출발을 만들어준 이들. 이들 덕분에 우리는 '글쓰기'라는 또 한번의 근사한 출발을 맞이한다.

이건 비밀인데요

권동력

오늘은 사회에서 만났고 또 그렇게 깊이는 아직 서로 알지 못하는, 그러나 그런 이면에서 서로의 조그마한 공통점과 장점들을 발견하는 재미를 느끼게 만드는, 회사 생활의 오아시스! 글쓰기 모임 동지들의 시선을 빼앗아 갈 이야기를 해보려고 합니다. 지금 서두를 최대한 길게 빼려는 저의 노력을 보고 계십니다. 다들 안 놀라시면 어쩌죠?

자, 두구두구두구두구~

"나 퇴사. 와하하!"

사실 이런 식으로 전할 계획은 아니었습니다만? 본의 아니게 이번 글쓰기의 주제와 언제쯤 여러분들에게 이 소식을 전해야 하는가를 고민하던 사이에 두 개의 주제는 합체되어 버렸습니다.

사실 지금의 저라면 하지 않아도 될 선택을 하고 있어요. 어쩌면 앞으로 한발 더 나아가고 싶다는 욕망 때문에 불필요한 스트레스의 영역으로 나를 내던지는 것일지도 몰라요. 아니요. 결정이 확고해지면 확고해질수록 내던지는 게 확실한 것 같습니다. 지금의 선택은 바둑판 위에서 대책 없이 놓고 보는 한 수입니다.

돌이켜보면 저는 언제나 이런 식으로 살아왔고, 그렇게 항로를 변경해 왔습니다. 늘 직선이 아니라 어떤 파편적인 점으로 선택을 연장해 왔고, 일생의 어느 순간에 그 점들을 연결하는 것을 좋아합니다. 그게 밤하늘의 별자리, 저만의 어떤 시그니처가 되어 반짝이는 것을 지켜보길 좋아합니다. 그건 정식의 별자리는 아닐 겁니다. 어쩌면 별자리를 하나도 모르는 누군가가 하늘을 보며 대충 마음에 드는 것들을 이리저리 연결해서 갑자기 만들어놓은 실 뜨개 모양의 무엇일지도 모르겠네요.

"이거저거 요고해서 대충 이렇게 연결하시죠."

약간은 귀여운 도깨비 같기도 하고 우리집 멍멍이 누누의 꼬리 같기도 하군요.

애석하게도 이제 더 이상 2016년에 모든 걸 버리고 떠났던 20대 후반의 제가 아니라서, 30대가 되어버린 저는 같은 짐을 등에 지고 다른 회사로 옮겨갈 뿐이지만요. 여러분, 친애하는 사조직 글쓰기 모임 여러분, 간절하게 지금 선택이 나의 다음을 상상도 못 한 것으로 바꾸어놓길 바랍니다.

'아 역시 이 업이 나한테는 제일이구나.'라던가, 아니면 '역시 해볼 대로 다해보니 치가 떨리는구나!'라는 여러 방식으로요.

어떤가요? 거짓 아닌 한 마디로 나름 여러분의 시선을 끄는 데 성공했을까요? 여러분들이 동료라서 좋아요. 그리고 이제는 동료가 아니라 좋아서 따로 만나게 될 친구가 되어서 더 좋아요. 글쓰기 모임은 계속 부탁드립니다.

+ 회사 오픈 전이니 비밀 유지 요망 :-)

부탁의 서
존레순

살면서 단 한 번도 이런 적이 없었는데, 꼭 가지고 싶은 게 생겨서 이렇게 부탁의 편지를 씁니다.

오늘도 당신은 수만 개의 사물을 스쳤을 겁니다. 간밤에 도착해 홀로 당신을 외롭게 기다리고 있던 부재중 메시지를 눈 뜨자마자 확인한 당신은 목을 축이고자 부엌으로 몸을 일으킵니다. 핸드폰 속 어쩌고저쩌구하는 이야기에 신경을 꽂고 손에 익은 유리컵을 든 당신은 정수기에 컵을 내려놓고 메시지에 답장합니다. 쪼르르 쪼르르 물줄기가 컵을 채우고 당신은 찬물을 단숨에 들이킵니다. 비몽사몽이었던 정신이 홀딱 깨는 기분이 느껴집니다. 그런데 문득, '이게 건강에 좋은가?'란 생각에 잠깁니다. 오른손에 쥐고 있던 핸드폰으로 검색창을 켭니다. "눈 뜨자마자 찬물", "아침에 냉수"라고 토독토독 타자를 칩니다. 어느 블로그에서 아무개 박사가 아침에는 따뜻하거나 미지근한 물을 마시는 것이 건강에 좋다는 글을 읽습니다. 당신은 오늘은 공쳤으니, 내일부터 따뜻한 물을 마셔야겠다고 생각합니다. 그렇지만 당신은 또 잊을 겁니다.

시계를 봅니다. 서둘러야겠습니다. 거울 앞에 선 당신은 잠깐 고민합니다. 무슨 노래를 들으면서 준비할지 유튜브를 켜 플레이리스트를 뒤적이다가 <브로콜리너마저 1집>을 고릅니다. 이제 씻나 싶지만 또 한 번 고민에 빠집니다. 머리를 감을까, 말까. 날씨를 확인해야겠습니다. 날씨 앱을 켜보니 영하로 떨어졌다고 합니다. 모자를 써야겠다고 생각한 당신은 간단히 양치와 세수를 합니다. 상쾌한 기분을 느끼며 수건으로 젖은 얼굴을 닦는데 푸석푸석한 얼굴이 당신을 바라보고 있습니다.

진정한 30대에 접어든 것인가, 요즘 들어 가속 노화가 진행되고 있다는 생각에 빠진 당신은 냉장고에서 팩을 꺼냅니다. 서둘러야겠다던 당신은 팩을 붙이고 침대로 다시 돌아갑니다. 20분 알람을 맞춰두고 눈을 감고 생각합니다. 20분 후에 일어나서 로션 바르고 선크림 바르고 옷 입고 5분 만에 나가서 지하철 타고 가면 늦지 않을 것이라고요. 아, 그 전에 무슨 노래를 들으며 20분을 보낼 지 고민해야 합니다. 머리를 조금 비우고 싶다는 생각에 요즘 빠진 디제이의 믹스를 고르고 눈을 감습니다.

띠리리링. 방금 눈을 감은 것 같은데 벌써 20분이 흘렀습니다. 지금 일어나지 않으면 10시 30분에도 회사에 도착할 수 없습니다. 반차를 쓸까 말까 고민을 합니다. 불과 3일 전에 당신은 전날의 숙취로 긴급 연차를 쓴 전적을 떠올립니다. 몸보다 무거운 한숨을 내뱉으며 일어납니다. 옷장에서 아무 옷이나 주워 입습니다. 지갑 챙기고, 사원증 챙기고, 없으면 안 되는 이어폰도 챙깁니다. 너저분한 책상을 뒤져가며 소지품을 간단히 챙기다가 천원짜리 뭉치가 툭, 하고 떨어집니다. 다시 주워서 올려 놓고 나가다가 다시 돌아와 돈을 챙깁니다. 누구나 삼천 원쯤은 가슴에 챙기고 다녀야 할 계절인 겨울이 왔기 때문입니다. 이제 정말 더 이상 시간을 지체할 수 없습니다. 서둘러 밖으로 나갑니다.

버스정류장으로 가는 길에 어느 집단이 집 앞 골목을 청소하고 있습니다. 그들은 등에 대문짝만하게 신천지라고 쓰여 있는 노란 조끼를 단체로 입고 있습니다. 저들은 진짜 신천지인가, 착한 일을 하네, 근데 이왕 할 거면 매일 매일 청소해 주면 좋겠다. 고 생각합니다. 그렇게 버스 정류장에 도착합니다. 게으르고 귀찮은 아침에 현금 삼천 원을 챙긴 것에 뿌듯해하며 당신은 버스에 오릅니다.

정말 뿌듯한가요?
오늘 점심은 뭘 먹을 예정인가요?
한 번만 다시 생각해 줄 수 있을까요? 부탁합니다.

From. 당신이 어젯밤 공들여 싸놓은 채 챙기지 않아 남겨진 냉장고 속 차가운 도시락으로부터

아, 추신. 천상지희의 <나 좀 봐줘>를 들으며 썼습니다.

이탈리아

또 한번은 속눈썹을 연장하고 온 아영이를
보며 질색을 했던 날이 있다. 짙고 길게 늘어져
있던 가짜 속눈썹 사이로 당황하던 아영이의
눈빛과 알 수 없이 슬픈 것들이 엉켜있었는데,
지금도 이렇게 기억나는데, 그땐 그게 중요하지
않았던 것 같다.

「버리고 버려진 것들」 중

파스타 퇴마
전대문

"대창 파스타 먹을래."

24년 1월 1일 새해 오전에, 할 일이 있어 스타벅스에 왔다. 노트북을 켜고 한창 일을 하다가 내 앞에 있는 사람들의 점심 메뉴 대화를 엿듣기 시작했다(엿듣는 걸 피하기 어려운 주제이다). 메뉴가 파스타로 결정되자 나는 번뜩 워드 빈 문서를 열어 한 문장을 썼다.

당신들에겐 웃음을 주는 파스타를 먹을 때마다 나는 싸우거나, 이별했어!

약 15년 전, 나의 주 데이트 장소는 명동이었다. 당시 남자 친구와 나는 명동이나 종로에서 만나기를 선호했다. 둘 다 주머니 사정이 넉넉지 않았던 시절이어서 주로 분식이나 한식을 먹었지만, 가끔 근사한 음식을 먹고 싶을 때 갔던 곳이 프리모바치오바치라는 이탈리안 레스토랑이었다. 지금은 없어진 이 레스토랑은 명동의 대표적인 데이트 장소였다.

그런데 희한하게도 이곳을 갈 때마다 나와 남자 친구는 다퉜다. 1년에 한두 번 다툴까 말까 하는 유순한 사람들이 유독 이곳만 가면 서로를 찌르며 독한 말을 쏟아냈다. 서빙하는 직원이 눈치를 볼 정도로. 그때 기억이 강렬해서일까? 그 당시 남자 친구였던 현 배우자와 나는 결혼 후에 이탈리안 레스토랑을 가는 일이 손에 꼽힌다. 아니다. 한 번도 안 간 것 같다.

약 4년 전, 제일 친한 친구와 잠시 이별을 고했던 적이 있다. 나와 친구는 한남동에 있는 이탈리안 레스토랑에서 만났다. 맛있는 뇨키와 파스타를 시켰다. 음식은 무척 맛있었지만, 그날을 기점으로 3년 뒤에 내가 다시 연락할 때까지 친구와 연락하지 않았다.

이탈리안 음식을 먹으면 안 좋은 일이 일어난다는 저주라도 걸린 건가? 왜 이탈리아 음식에 관해선 좋은 기억이 없는 것인가?

이탈리안 음식과의 저주에 관해 생각하다가, 내가 이탈리안 음식을 먹으러 갈 때의 마음을 되돌아보기로 했다. 나는 상대방에게 평소와 다른 특별함을 기대할 때 파스타를 먹자고 했다. 하지만, 모든 일이 내 뜻대로 되지 않는 법. 내 기대를 저버리는 일은 계속 일어났고, 나는 그럴 때마다 싸우고, 이별을 고했다. 메뉴 선정부터 맞은 편에 있는 상대방을 대하는 태도까지 이탈리안 음식 안에서는 모든 것이 엉망진창 내 마음대로였다.

올해 계획을 따로 세운 건 없지만, 이 계획만은 세워야겠다. 별일 없을 때 이탈리안 레스토랑을 가자고. 맛있는 뇨키와 스파게티의 세계를 이기적인 나의 태도 때문에 포기할 순 없기 때문이다. 아주 심심하고 아주 먹을 게 생각나지 않을 때, 너무 배고파서 돌을 먹어도 맛있게 먹을 수 있을 것 같을 때 파스타를 먹으러 가야지.

이게 이탈리아를 향한 나의 퇴마이자, 내 소중한 사람들을 지키기 위한 노력이라고, 1월 1일 오전 11시, 스타벅스 한강진점 2층에서 나는 비장해졌다.

버리고 버려진 것들

권동력

23살 혼자 떠난 4개월 동안의 유럽 여행은 나를 변화시켰다. 흔한 여행들이 그러하듯. 용기를 얻었고 경험이 생겼다고 믿었으며, 또래보다 우월한 경험치가 쌓였다고 생각했다. 일상으로 돌아오고 난 후에도 그러한 믿음은 계속되었다. 심지어 그 믿음에 미화된 기억들이 덕지덕지 붙어갔다. 26살 졸업을 한 것은 여름. 조형예술과 부전공을 하느라 늘어진 한 학기의 시간이 있었고, 안 그래도 학생 수가 적은 학교에서 동기 한 두명과 함께 강당에 모여 조촐한 졸업식을 했다.

애매한 시기에 졸업한 덕에 생긴 자유시간 동안 다시 배낭여행을 떠나고 싶었다. 당시 나의 곁에는 22살 때 만난 소울메이트 아영이가 늘 함께했는데, 혼자서 한번 해낸 일을 왜 꼭 둘이 되어가야 하는지 긴가민가해하는 아영이를 한참 설득해 이탈리아 한 달 배낭여행 길에 올랐다. 그것도 로마에서부터 피렌체까지 산티아고 길을 따라 걷겠다는 당찬 포부와 함께.

나는 아영이를 22살 무렵 홍대의 어느 예술 영상제에서 만났다. 우리는 예술 영화와 실험 영상들을 모아서 틀어주는 영상제의 자원봉사 크루로 지원했고, 당시 쌈지 어쩌구하는 센터에서 전시장을 지키고 청소를 했던 것 같다. 사실 그날들의 기억은 다 사라졌다. 다만, 봉사 크루들에게 나누어주던 로고가 박힌 박시한 하얀 티셔츠를 자랑스럽게 입고, 전시장 앞에서 뭐라도 된 양 시시콜콜한 대화를 나누던 아영이와 나의 뒷모습, 그 장면만 남아있다. 아영이는 첫 만남 이후부터 내가 27살이 될 때까지 꽤 오랜 시간을 집약적으로 내 곁에 머물렀다.

나는 아영이가 좋았다. 개그 코드가 잘 맞아 함께 오래 웃을 수 있었고, 취향도 비슷해서 당시엔 유행도 아니던 등산을 매주 함께 다녔다. 20대 초반의 여자 둘이 다니면 등산로의 아저씨들이 모두 가디언이 되어주던 때가 있었다. 그 한복판에서 우리는 겨울 산과 여름 산을 거르지 않고 함께 오르고 먹고 웃었다. 아영이는 모든 면에서 과한 것이 없었다. 다소 극단적인 나의 성격에 비하지 않아도 그랬다. 유순하고 잘 웃으며, 남에게 공감해 주는 그런 사람이었다. 나는 특히 아영이의 도드라진 송곳니, 웃을 때 눈 아래에 찡긋거리던 보조개를 좋아했다. 아영이는 나대는 법도 없었다. 그건 언제나 나의 몫이었다. 그런 그녀가 좋았지만, 한참 나대고 난 후에 내가 하는 불평은 왜 너는 먼저 나서는 법이 없냐는 것이었다. 그때에도 아영이는 그냥 웃었다.

내가 그녀를 이탈리아로 끌어들인 것은 그녀가 독일로 유학 가기로 한 시점이기도 했다. 아영이를 마중 간다는 이유로 독일 땅을 밟기 전에 이탈리아로 향했고, 헤어지던 그날 밀라노 관광버스 안에서 혼자 오열하는 한국인이 있었다. 그 후 아영이는 2년을 독일에서 지내다 돌아왔고 공교롭게도 다음 해에 내가 독일로 떠났다. (정확히는 아프리카로 먼저 떠났다.) 아프리카에서 지낸 한 두 달 동안은 아영이와 연락이 닿았다. 하지만 어느 순간부터 아영이와의 연락은 간격을 넓혀가기 시작했고, 마치 기다렸다는 듯이 한 걸음씩 나로부터 물러나더니 지구 반대편으로 사라져 버렸다. 희한한 건, 이 모든 멀어짐이 생각보다 짧은 시간에 일어났음에도 불구하고, 나 역시 우리 사이에 일어나는 일들에 대해 의문을 품지 않았고, 당연하게 받아들였다는 것이다.

아영이와 함께했던 시간도, 함께할 시간도 그렇게 저물었다.

이따금 아영이가 어디로 사라졌을까 생각할 때마다(한국에 살고 있었겠지만) 번뜩이듯 지나간 것은 내가 그녀에게 했던 괴랄한 집착과 말들, 상처 될 행동들이었다. 후회나 그런 마음은 하나도 없었다. 그때 난 그것밖에 안 되는 인간이었기 때문에 돌아가도 달라질 건 없었을 테니. 다만, 그 모든 것들을 보고 듣고 겪었을 아영이의 시점에서 나는 나를 관찰했다. 담담하게.

유학하러 간다는 애를 붙잡고 산티아고 순례에 필요한 기능성 스포츠복을 풀세트로 구매했다. 함께 걸으니, 그것도 커플룩으로 해야 했다. 당시에도 꽤 비싼 값을 냈던 걸로 기억한다. 뭣도 모르고 숙소가 싸서 떠난 첫 스페인 산티아고 순례 50일 내도록 무릎 나온 면 츄리닝을 입었던 나를 기능성 스포츠 웨어로 지우고 싶었다. 이번에는 달랐으면 했다. 텐트와 버너도 샀다. 캠핑도 해보자는 이유에서였다. 둘이 누우면 꽉 차는 파란색 텐트를 인터넷 폭풍 검색 후에 구매했고, 이런저런 이유로 여행경비는 점점 올라만 갔다. 물론 나의 기억 속에서 이탈리아는 위험했던 순간 몇 번, 그리고 힘들었던 순간 몇 번을 제외하고는 그저 즐거운 추억이 가득한 기억이다. 계획 없이 들리게 된 시에나에서의 하루, 오르비에토에 갔던 날의 감동, 넓게 펼쳐진 라벤더밭을 발견했던 찰나, 걷다가 그늘에서 누워 잠든 날, 미국 청소년들에게 놀림당했던 캠핑장에서 모기약을 몰래 두고 가 주었던 친절한 프랑스 남자, 피사의 사탑 앞에서 플래카드를 들고 가을이를 기다리던 설렘, 친퀘테레에서 우연히 갔던 인생 최고의 피자집, 부둣가에서 셋이 둘러앉아 즐기던 바질의 향긋한 향. 순례 중 잠을 그냥 재워주었던 성당, 콜라를 먹고 싶다고 눈물을 흘렸던 그날 손에 꼭 쥔 동전의 감촉.

기억이라는 것은 무섭다. 오랫동안 나는 이렇게 믿고 살았다. 그냥 우리는 어렸고, 우리의 이탈리아는 뜨거웠고 어떤 순간에 친구라는 것은 밀어지기도 한다는 정도의 기억으로- 독일에 사는 동안에도 아영이가 가끔 떠오르면, '그냥 그렇구나.'라고 생각했다. 잘 지내겠지. 어느 순간 내가 싫어졌던 걸까? 사는 게 팍팍해졌을까? 말할 수 없는 일이 생긴 걸까? 정도의 궁금함. 그러나 차마 들춰볼 생각은 하지 않았던 사건.

한국으로 다시 돌아온 2021년의 어느날, 불현듯 떠오른 몇 가지 사실들이 더 있다. 대학 졸업 후 이탈리아에 가기 위해 알바를 했다. 하지만 결국 돈이 모자랐던 나는 아영이의 유학비에서 일부를 빌렸다. 정확한 비용도 기억 안 날 만큼 무심하게, 그러고는 독일에서 아영이가 가끔 연락이 오면 그 돈을 몇 번씩 나누어 보내주었다. 아영이가 한국에 돌아온 해, 그리고 내가 독일로 떠나기 전의 해에 가족 문제로 힘들어하던 아영이를 만날 때면 내 일처럼 함께 슬퍼해 주었지만 동시에 가족의 반대로 한국에 돌아온 아영이를 이해할 수 없었다. 그래서 언제나 그녀에게 무언가를 떠밀었던 것 같다.

또 한번은 속눈썹을 연장하고 온 아영이를 보며 질색을 했던 날이 있다. 짙고 길게 늘어져 있던 가짜 속눈썹 사이로 당황하던 아영이의 눈빛과 알 수 없이 슬픈 것들이 엉켜있었는데, 지금도 이렇게 기억나는데, 그땐 그게 중요하지 않았던 것 같다. 안 하던 짓을 한다며 핀잔을 줬다. 슬퍼하던 아영이를 더 다그치는 것 그리고 그런 아영이 곁에 내가 있는 것에 모종의 카타르시스가 동반되었다. 슬퍼하고 상처받은 모든 것들을 사랑한다는 그 알량한 마음으로.

우리는 스스로 얼마나 좋은 인간이라고 믿고 사는 걸까? 진짜 나는 어떤 인간인 걸까. 왜곡되기도 하고 잊히기도 하고 때로는 시선 너머의 사각지

대에서 일어나는 나로 인해, 나는 나를 모르고 산다. 착각이라는 말로도 충분하지 않은 그런 것들. 자기반성과는 차원이 다른 이야기. 아영이를 떠올리며 문득 어린 시절부터 가까웠던, 그러나 어느 순간 멀어진 친구들에 대해 생각한다. 절교라는 극단적 선택 아래에서, 또는 일련의 사건들과 함께. 쌍방이든 일방적이든 지고 사라진 나의 인연들 속에서 '나'라는 사람을 돌이켜보게 된다.

이탈리아에는 여전히 내가 사랑했던 아영이가 있다. 밤새 떠들어도 질리지 않고 다음 날 새로운 도시에서 다시 이야기꽃을 피우던, 1유로 2유로 동전을 하나씩 세던 손을 말하지 않아도 온몸으로 가려주던, 질리고 닳도록 입던 티셔츠를 바꿔 입고 새로운 기분에 취해 거리를 걷던 우리가 있다.

다시 돌아가서 마주하기 전까지 계속 이탈리아를 여행 중일 너와 나. 모든 관계가 과거에서 여전히 살아있듯. 잊힌 사람들, 잊은 사람 모두 그때의 나와 너로, 우리로- 계속 안녕하시길.

지금의 나는 더 나은 사람이 되어보도록 애쓸 테니-

피자 괴물
장철수

우리 집엔 피자 괴물이 산다. 뭔가 특별한 의미 부여가 있겠냐마는 말 그대로 피자를 먹고 사는 피자 괴물이다. 나모. 그와 만난 게 2017년인데 그때부터 그는 줄곧 피자'만' 좋아한다. 물려한 적도 없고 소원해진 적도 없으니, 그의 피자 사랑은 아주 오래되었으리라. 그렇다고 급하게 사랑에 빠진 것 같은 느낌도 아니다. 예를 들어 우리가 처음 양대창을 먹고 홀딱 반해서 어느 자리에 가나 양대창 먹자고 외치는 그런 느낌이 아니란 말이다. 아주 스테디한 사랑이다.

그와 만난 지 얼마 되지 않았을 땐, 그가 피자만 좋아한다는 사실을 자주 잊었다. 데이트를 위해 내가 '뭐가 먹고 싶냐?'는 질문을 하면 나모는 늘 '피자'라는 답을 내놓았다. 연애 초반엔 그게 나를 참 힘 빠지게 만들었다. 먹고 싶은 게 피자밖에 없으니 그 외에 다른 걸 먹으면 먹고 싶지 않은 걸 먹게 한다는 생각이 들었다. 오직 그가 나를 위해서 다른 음식을 먹어주는 것 같다는 느낌이랄까. 그렇게 무미건조한 표정과 목소리로 '피자'라고 답하는 그를 상상해 보자. 그의 지치지 않는 넌씨눈스러움에 나는 매번 기가 찼다. 피자를 싫어하는 건 아니지만 한 달에 한두 번 정도만 먹었으면 했다. 나의 거절이 이어져도, 그럼에도 그는 '피자'라고 줄기차게 답했다. 다만 그게 이뤄질 거라는 기대를 하고 말하는 것 같진 않았다.

그래서일까. 연애 시절 나모는 피자를 혼자 먹는 일이 잦았다. 일주일 내내도 먹을 수 있는 사람이지만 미친놈처럼 보일까 적절히 조정해서 일주일에 두세번 정도 먹는 것 같았다. 그가 좋아하는 피자는 동네 피자다. 그저 투박하게 모든 재료를 듬뿍 다 때려 넣는 동네 피자. 다양한 동네 피자

집에서 이것저것 먹는 재미를 즐기던 나모는 한 피자집에 잠시 정착하기도 했다. 이름하여 '왕손 피자'. 어쩐지 피자와 어울리지 않는 왕손이라는 단어가 나를 긴장시켰다. 이 사람 도대체 피자를 어떻게 먹는 거야. 한두 번 같이 먹은 적이 있는데 치즈피자에 치즈를 또 추가해서 토핑을 다 덮어버린 채로 먹고 있었다. 크기도 컸지만, 두께가 대단했다. 피자는 내가 먹을 토핑이 뭔지 보면서 먹는 재미 아닌가. 두 눈을 가리고 먹는 것과 같았다. 그렇게 그는 자기 집 냉장고에 피자집 쿠폰을 덕지덕지 붙여갔다. 그런 그와 결혼하기로 결심한 것은 나의 피자 식사를 늘리겠다고 결심한 것과 다르지 않을 것이다.

우리는 스페인으로 신혼여행을 갔다. 스페인도 이탈리아 못지않게 피자가 유명했다. 나모는 신혼여행에 원하는 것이 딱 하나 있다고 했다. 한 도시에서 한 피자집은 꼭 가기. 말라가, 테네리페, 바르셀로나로 이어지는 11박의 일정에서 그 정도 주기면 양호하다고 생각했다. 우선 말라가로 향했다. 말라가는 유독 해산물 요리가 주를 이루는 곳이라 피자는 뒷전이었다. 다만 거리의 수많은 카페에서 어디 할 것 없이 모두 피자를 조각으로 팔고 있었기에 나는 때를 놓치지 않았다. "나는 그냥 커피 마실 테니 오빠는 피자를 먹어." 말라가는 그렇게 때웠다.

말라가, 이름 모를 카페테리아

테네리페를 가는 기차에서 그는 조금 상기되어 있었다. 구글맵으로 맘에 쏙 드는 피자집을 찾은 모양이었다. 우리는 체크인 후 곧바로 피자집으로 향했다. 녹음이 우거진 길거리에 노상으로 앉아 먹는 피자 가게였다. 그때까지도 별 기대를 하지 않았는데, 웬걸, 너무 맛있어서 뒤집어질 뻔했다. 시원한 그곳 지역의 생맥주도 한몫했다. 한여름의 기후였는데 피자로도 이열치열이 되는 기분이었다. 화덕에서 적절히 구워져 나온 피자는 토마토소스며, 도우며, 하몽이며, 치즈며, 완벽하지 않은 구석이 없었다.

테네리페, <Pizzeria La Salumeria>

바르셀로나로 향하는 비행기에서 나모는 본격적으로 들뜨기 시작했다. 숙소 근처에 평점 좋은 피자집이 줄지어 있었기 때문이다. 그는 그만의 피자 레이더로 맛집들을 솎아내기 시작했다. 구글맵이 '별'로 뒤덮이던 순간이었다. 역시나 첫 식사로 피자를 먹었다. 화덕 피자였고 나폴리 지방의 피자였다. 생 소시지와 프리아리엘리라는 식물이 토핑으로 올라가는 피자. 재료들은 신선했고 소스들은 녹진했다. 보통은 한 두 조각 먹고 나모에게 양보하는데 그럴 새가 없었다. 정확히 반반 먹어치우고 생각했다. 아, 나 생각보다 피자를 좋아하는구나.

바르셀로나, <Craft Pizza>

우리는 한 해를 마무리하는 12월 31일에도 피자를 먹었다. 신혼집 앞에 꽤 오래된 작은 화덕 피자집이 있다. 첫 방문이었는데 아이를 둔 몇몇 가족이 그곳에서 피자를 먹으며 가정의 대소사를 정리하고 있었다. 그 모습이 보기 좋았다. 우리도 앞으로 연말은 피자집에서 보낼까. 한 해의 사건과 느낀 바를 토핑 삼아 삼켜버리는 건 어떨까 생각했다. 나모는 아직도 집에서 혼자 피자를 먹는다. 내가 약속이 있어 늦는 날 피자를 먹어 치운다. 흔적을 안 남기고 싶어서 바로바로 분리수거까지 해둔다. 그러곤 말한다. "나 피자 먹었어." 어차피 말할 거면서 왜 다 치워놓냐고 하니 나 몰래 먹어두는 기분이 좋단다. 그러면서도 내가 피자를 함께 먹으면 나모는 늘 피자를 같이 먹어줘서 고맙다고 말한다. 그에게 피자란 혼자 먹을 땐 짜릿한 해방감을, 함께 먹을 땐 사랑을 느끼게 하는 것 같다. 우리 집엔 피자를 사랑하는 피자 괴물이 살고 나는 그런 피자 괴물을 사랑한다.

공덕 비스트로

킴카나다

어서 오십시오. 공덕 비스트로에 오신 걸 환영합니다. 대흥동에 위치해 있지만 공덕 비스트로인 이유는 글쎄요… 대흥 비스트로보단 공덕 비스트로가 조금 더 느낌 있지 않나요? 공덕이랑 가까워서 그런가 보다 해주시고 저희는 이탈리안을 메인으로 하는 원 테이블 식당으로 오직 한 테이블만을 위해서 요리합니다. 저희 식당이 20평대라 조금 작은 이유로 정원은 셰프인 저 포함 6명인점 양해 부탁드립니다. 입고 계신 코트는 드레스룸에 던져두시고 각자 마음에 드시는 의자에 착석해 주시면 됩니다. 메인 셰프인 저는 요리를 하며 부엌과 테이블을 자주 오가면서 대화에 참여할 예정이니 개의치 말아주세요. 아! 술을 가지고 와주셨군요. 아주 훌륭한 손님이십니다. 이 술은 곧 음식과 함께 서빙하도록 하겠습니다. 저희가 준비한 술은 오늘 다 비우고 가신다 생각해 주시면 되겠습니다. 참고로 오늘 준비한 요리의 모든 레시피를 요리와 함께 공유드릴 예정인데요. 그 어떠한 계량도, 온도도, 재료도, 조리시간도 정확한 것은 하나도 없다는 점 유의해 주시기 바랍니다. 우선 웰컴드링크인 유자 하이볼 한 잔 하시면서 기다려주시면 되겠습니다.

자 오늘 준비한 첫 번째 요리는 입맛 돋우기 좋은 참돔 세비체입니다. 화이트와인과 아주 잘 어울리는 에피타이저로서 상큼하고 프레쉬한 맛이 아주 일품입니다. 입도 즐겁고 눈도 즐거운 이번 음식은 저희의 시그니처 메뉴이기도 하니 맛있게 즐겨주시기를 바랍니다.

참돔 세비체

| Red sea bream ceviche

난이도 ★
재료 참돔회
(광어회나 단 새우도 좋다),
간장, 레몬즙, 올리브오일, 꿀,
다진 마늘, 소금, 후추,
케이퍼(생략가능)

1. 참돔회를 접시에 담고 그 위에 소금(생각보다 더 많이 해야 맛있다) 과 후추를 넉넉히 뿌리고 접시째 10분 정도 냉장.
2. 볼에 간장 1ts, 레몬즙 1TS, 올리브오일 2TS, 꿀 1/2TS, 간 마늘 1ts 넣고 랩 해서 전자레인지에 20초 정도 돌리고 식혀둔다.
3. 냉장해 둔 참돔회 위에 준비된 소스 뿌려주고 케이퍼와 레몬으로 데코레이션 해주면 끝.

레시피 참고 출처: @_by_92_style_

두 번째로 준비된 에피타이저 메뉴는 크림치즈 딜 양송이 구이입니다. 최고의 와인 안주가 되어줄 이 요리는 요리법이 아주 간단한 것에 비해 손님들의 만족도가 높은 메뉴 중 하나입니다. 드셔 보시면 향긋한 딜과 크림치즈에 리치한 풍미의 조화가 아주 좋습니다.

크림치즈 딜 양송이 구이

Cream Cheese Dill Grilled Button Mushrooms

난이도 ★
재료 양송이버섯, 크림치즈(꾸덕꾸덕한 제형일수록 좋다), 딜, 파슬리가루, 슈레디드 모차렐라 치즈

1. 양송이버섯의 기둥을 살살 떼어낸다. 나중에 구워지면 물이 생기니 양송이버섯 머리 부분에 젓가락으로 뚫어 작은 구멍을 내준다.
2. 양송이 안에 크림치즈와 잘게 자른 딜을 듬뿍 넣어 채워준다.
3. 그 위에 모짜렐라 치즈(피자 치즈)를 얹고 오븐 or 에어프라이어에 치즈가 녹아 살짝 노릇해질 때까지 구워준다.
4. 파슬리 가루를 톡톡 뿌려 마무리.

세 번째 메뉴는 페타치즈 올리브 파스타입니다. 페타치즈 특유의 짠맛이 파스타의 간을 책임져주면서 간단하지만 들어간 재료의 맛 하나하나가 조화롭게 모두 느껴지실 겁니다.

페타치즈
올리브 파스타

Fetta Cheese Olive Pasta

난이도 ★

재료 페타치즈, 파스타면, 방울토마토, 올리브(생략 가능), 편 마늘, 크러쉬드 레드페퍼

1. 파스타 면을 삶아준다.
2. 팬에 기름을 넉넉히 두르고 편 마늘을 볶다가 노릇해지면 반을 자른 방울토마토를 넣고 으깨주며 함께 볶는다.
3. 잘라놓은 페타치즈를 넣고 함께 볶다가 파스타 면을 넣고 함께 휘리릭 볶아주면 끝.
4. 집에 올리브가 있다면 썰어서 넣어주거나 데코용으로 통으로 위에 얹어준다. 크러쉬드 레드페퍼를 솔솔 뿌려도 좋다.

오늘 준비된 메인메뉴는 야채 구이와 연어 스테이크 입니다. 부드러운 연어 스테이크와 겉은 살짝 바삭하고 안은 촉촉한 야채 구이를 토마토소스와 함께 즐겨주시면 되는 요리입니다. 와인이 아주 술술 들어가지요?

야채구이 연어 스테이크

Grilled Vegetable Salmon Steak

난이도 ★★★
재료 연어, 기호에 맞는 야채 (방울양배추, 당근, 방울토마토, 감자, 브로콜리), 올리브오일, 케이준시즈닝, 바질 가루, 파슬리 가루, 부침가루 (밀가루, 튀김가루 모두 OK) 크러쉬드 레드페퍼, 시판 토마토 파스타 소스 1병

1. 야채는 먹기 좋은 사이즈로 자르고 비닐봉지에 넣는다.
2. 봉지 안에 야채가 모두 코팅이 되게끔 올리브오일 반 컵 정도 넉넉히 두르고 케이준시즈닝 2TS, 바삭한 식감을 위한 부침가루 3TS와 바질 가루와 파슬리 가루까지 적당히 때려 넣고 봉지를 쉐킷쉐킷하여 재료를 모두 섞어준다.
3. 준비된 야채를 오븐 or 에어프라이어에 넣고, 중간에 한 번씩 뒤집어 주면서 7~8분 정도 구우면 야채 준비 끝.
4. 그 시간에 팬에 오일을 두르고 연어를 앞뒤로 구워주면서 소금 후추로 간을 한다.
5. 전자레인지로 시판 토마토소스를 데우고 그릇에 펴준다. 그 위에 야채 구이와 연어구이를 올려준다.
6. 파슬리 가루와 크러쉬드 레드페퍼를 뿌려주며 마무리. 루콜라를 무심하게 톡톡 얹어줘도 근사하다.

오늘 준비된 요리는 여기까지입니다. 어떠셨나요? 잠시 이탈리아 여행을 다녀오신 것 같다고요? 하하 과찬이십니다. 저희 공덕 비스트로에서 남은 시간 마음껏 즐겁게 보내다 가시고, 자 그러면 이제 불 올려서 라면 좀 끓일까요?

라 프리마 에스따떼

존레순

9년 전, 3주의 휴가 중 10일을 이탈리아에서 보낸 적이 있다.

이탈리아를 좋아해서라기보다, 언니네 가족이 여행에 끼워준다고 해서 객식구와 돌을 갓 넘긴 조카의 보모 사이의 어딘가라는 신분으로 갔고, 그 가족이 이탈리아를 좋아했었나 보다.

우리는 베니스와 피렌체에 갔는데, 이 두 도시는 같은 나라라고 기억하기 힘들 만큼 다른 인상을 주었다.

피렌체는 영화인가 테레비에서 봤던 것처럼 낭만의 도시였다. 젤라토는 먹어도 먹어도 맛있고, 티본스테이크도 맘마미아! 소리가 절로 나왔다. 무슨 엄청 높은 계단이 있는 성당을 오르는 것도 힘들었지만 탁 트인 전경을 보는 것이 좋았고, 무슨 강이었더라, 밤에 젤라토 하나 들고 강변을 걸을 때도 대충 행복했던 기억이 있다. 하지만 솔직히 말하면, 티본스테이크를 먹고 돌아오는 길에 언니와 형부가 크게 말다툼을 해서 눈치를 봤던 일 빼고는 자세히 기억나지 않는다. 그냥 대충 행복했다.

그에 반해 베니스는 또렷이 기억난다. 내가 갔을 때는 지구 온난화로 인해 베니스가 곧 가라앉는다는 이야기가 있어서 전 세계의 관광객들이 엄청나게 모여들었다. (그때는 3년 안에 가라앉는다고 그랬는데 9년이 지난 지금 멀쩡하다.) 도착하자마자 어딜 가도 미어터지는 것이 괴로웠다. 피렌체에서는 차로 이동을 했지만, 베니스는 수상 버스로 이동해야 했고 섬 안에는 좁은 골목들이 너무 많아서 언니와 형부를 놓치면 길 잃기가 일쑤였다. 수상 버스를 탈 때마다 서양인들의 암내에 졸도할 것 같았고, 작열하는 태양도 재수 없을 만치로 덥고 불쾌했다. 무슨 아이유 뮤직비디오를 찍었다고 하는 섬에도 갔는데 거기도 사람이 너무 많아서 빨리 집에 가고 싶다는 생각만 했다.

물론 거기서도 언니와 형부가 크고 작게 몇 번 싸웠다. 음식도 최악이었다. 피자를 시키면 노 솔트라고 말해도 이거 동양인 비하인가 싶을 정도로 소태처럼 짰고, 언니가 제일 좋아한다는 오징어튀김도 사람들과 부딪히면서 절반은 비둘기 밥이 됐다. 피렌체는 숙소도 예쁘고 좋았는데 베니스에서는 호텔도 낡았고 심지어 에어컨도 고장이 나서 형부가 몇 시간을 싸워서 방을 바꿀 수 있었다. 그래도 3년 뒤에 가라앉는다고 하니까 살면서 한번은 와봤다고 합리화하려 애썼지만 또렷이 기억에 남는 건 좋았던 것보다 이렇게 싫었던 것뿐이다.

하지만 그럼에도 내가 이탈리아를 '혐오'까지는 하지 않을 수 있었던 것은 순전히 노래 하나 때문이다. 이탈리아로 향하는 비행기에서도, 피렌체에서 행복한 밤을 보낼 때도, 베니스의 수상 택시에서 거구의 서양인들 사이에 끼어 있을 에도 들었던 노래다.

편리왕, 킹스오브컨비니언스로 친숙한 얼렌드 오여의 솔로 싱글 곡 '라 프리마 에스따떼(La Prima Estate)'이다.

이탈리아에 대한 인상이 전혀 없을 때, 언니가 이탈리아에 가자고 하자 나는 이 노래부터 생각이 났다. 당시에 얼렌드 오여를 너무 좋아했었는데, 이 곡은 노르웨이 출신인 가수가 이탈리아어로 된 가사를 부른다는 점에서 신기했고, 무엇보다 언제라도 들으면 신나는 축제의 주인공이 된 것 같은 기분이 들어서 자주 들었던 곡이다.

치밀함이라곤 없는 여행을 즐겨하는 내가 이탈리아 여행을 위해 준비한 것은 단지 이 노래 한 곡이었다. 하지만 생각해 보면 그것만으로도 충분했다. 여정을 시작하는 설렘부터, 가득 찬 사랑의 기운을 만끽하고, 괴로움 속에서도 버텨낼 수 있었던 만능 템이었으니까…

서울에 돌아와서도 이 노래를 자주 들었다. 특히 봄이 오기 시작할 때, 버스 오른쪽 맨 앞자리에 앉아서 이 노래를 들으면 그때 맡았던 서양인의 암내가 낭만적으로 미화되어 풍겨오는 것 같은 기분이다.

문득 생각이 든다. 베니스는 정말 조만간 가라앉아 버릴까. 9년 전에는 이런 그지같은 섬 빨리 가라앉았으면 했는데 정말 가라앉게 된다면 그 전에 꼭 다시 한번 가보고 싶다. 미워해서 미안하다고 사과하고 싶으니까.

다음은 라 프리마 에스따떼의 가사!

Il giorno e arrivato 바로 그날이야
Tu sei laureata 네가 졸업하는 날
Ti guardi allo specchio 넌 거울을 보고
Ma sei ancora tu 넌 여전히 너야
Tutta la famiglia 모든 가족들이
Ha percorso molte miglia 멀리서부터 왔어
Solo per te Lucia 오직 너, 루치아를 위해서!
Ci sono anch'io 그리고 나도 있어

La prima estate 첫번째 여름
Tutti e due laureati 두 사람의 졸업
Nemmeno tuo padre 심지어 너의 아버지도
Riuscirà a buttarti giu 너를 꺾지 못했지
E il tempo per ballare 춤 출 시간이야
Oppure di andare 아니면 갈 시간이야
Alla zona balneare 바다가 있는 곳으로
Lo meriti vai 너는 갈 자격이 있어
Vai vai vai vai vai 가자 가자 가자 가자!
Sicuro come il cielo e blu 확실히 하늘이 파란 걸 보니
L'autunno arriverà 가을이 올것 같아
Ni cerchi e non ci sono più 난 기대하고 있어 그리고 더이상은 없어
Allora dove sarai? 그럼 넌 어디로 갈거야?
Sorridi dai 미소를 지어줘
Come non mai 한번도 본적이 없는
Non e Per rattristarti 울고 싶어서가 아니야
Lo ti sto cantando 난 널 노래하고 있어
Lo voglio ricordarti 난 떠올리고 싶어
La tua vita ce l'hai tu 네겐 네 삶이 있니
Se vuoi un consiglio 내 조언을 원한다면
Solo festeggiare 그저 축하하라는 것
Lo sai ci sono io 나도 있다는 걸 너도 알잖아
La comitiva e laggiù 파티가 저 아래에서 한창이야
Giu giu giu giu giu 아래 아래 아래 아래~
Si chiudono le porte e poi 그들은 문을 닫고 있어
Il palco e pronto per te 널 위한 무대가 준비되고 있어

틸서울

단지 언어만 다른 것이 아니었다. 한참을 잊고
사느라 잠시 잃어버렸던 내 모습을 다시 찾은
기분이 들었다. 그렇게 나의 모습을 다시
마주하고 나서야 그리웠다는 것을 알게
되었다. 그래서 이번 여행이 오랫동안
기억될 것 같다. 그리고 다시 꼭 찾아갈 것이다.
그때의 나를 다시 만나러.

「나를 다시 만나러」 중

다를 것이 없는 저 곳의 세계
전대문

24년 1월에 나는 말레이시아 쿠알라룸푸르에 있었다. 이 곳은 네 번째 방문이었다. 여행을 가면 하루 종일 카페 테이블에 앉아 책만 읽는 나는 지루해지면, 골목을 다니며 사진을 찍었다. 한국에 돌아와 인화한 사진 안에는 시장의 귀퉁이, 불규칙하게 얽혀 있는 마트 카트, 피곤한 사람들로 가득했다. 권태로 가득한 쓸쓸하고 축축한 세계, 서울에서 내가 보는 것과 다를 게 없는 세계. 서울에선 무심히 지나쳤던 것들을 낯선 곳이라는 이유로 사진으로 남겨두니 특별해 보인다. 이 특별함이 고작 이런 축축한 것들이라서, 나는 울적해졌다. 낯선 곳에서의 설렘이 사라질까 봐, 나는 더 이상 골목 사진을 찍지 않기로 했다.

나를 다시 만나러
킴카나다

대부분의 학창 시절을 캐나다에서 보낸 나는 한국에 다시 돌아온 지 딱 10년 만에, 북아메리카 여행이 처음인 남편과 함께 미국과 캐나다에 다녀왔다. 다시 가기까지 왜 이렇게 오랜 시간이 걸렸을까. 10년이라는 세월은 금방 흘러가 있었다.

무척 그리웠다. 공기에서 느껴지는 냄새와, 햇빛과 구름마저 다르게 움직이는 하늘, 큼직큼직한 나무들과 산, 스몰토크를 걸어오는 사람들, 예전에 살았던 집과 똑 닮은 집들, 익숙한 작은 도로 사인들마저 틈틈이 추억에 잠기게 했다.

무엇보다 여행 중 마주치는 모든 사람과 나눈 대화 속에서 학생 때의 나의 모습을 찾을 수 있었다. 현실에서의 나는 야근에 지쳐 새벽 퇴근길에 탄 택시에서 말을 걸어오는 택시 아저씨를 적당한 웃음으로 피하기 바쁘고, 길거리에서 모르는 사람이 말만 걸어와도 흠칫 놀라며 의심부터 하고, 엘리베이터에 같이 탄 이웃과 말 한마디 섞지 않는 여유 없는 하루하루에 익숙해져 있었다.

하지만 여행하는 동안의 나는 마트 캐셔와 오늘의 날씨에 대해, 식당 종업원과 나의 결혼식에 대해, 옷 가게 주인과 그날 내가 입은 귀여운 스커트에 대해, 같은 버스에 탄 옆자리 사람과 우리의 이번 여행에 대해 기분 좋게 오가는 스몰토크에 여유롭게 미소 짓고 있었다. 단지 언어만 다른 것이 아니었다. 한참을 잊고 사느라 잠시 잃어버렸던 내 모습을 다시 찾은 기분이 들었다. 그렇게 나의 모습을 다시 마주하고 나서야 그리웠다는 것을 알게 되었다. 그래서 이번 여행이 오랫동안 기억될 것 같다. 그리고 다시 꼭 찾아갈 것이다. 그때의 나를 다시 만나러.

낙엽냄새가 난다
권동력

이상하게 오래 기억되는 냄새와 장소가 있다.

나에게는 네덜란드가 그랬다. 정확히는 로테르담, N이 교환학생 시절 미키마우스와 함께 살던 그 숙소 앞 산책로가.

느지막이 일어나 학교 간 N을 기다리며 집 앞에서 혼자 걷던 그 길. 낙엽이 진짜 많이 떨어져 있어서 바닥은 하나도 안 보이고 온통 진갈색으로 뒤덮여있었고 눅눅한 나뭇잎 냄새가 폐 깊숙한 곳까지 들어왔다.

이후부터는 가을만 되면 세상 어디에 있던 그때 그 순간으로 직행한다. 매해 나이를 먹어도 늙지 않는 나로 아주 짧게는 1분, 길게는 10분씩 머물다 올 수 있는 행운을 누린다.

2022년 11월의 암스테르담

SUMMER COLOR
장철수

여름의 색이었다.
- 부산 해운대에서
- BIG mini with ColorPLus

겨울에게
존레순

네 생일이잖아,
딱 하루만 시간을 내어줄 수 있어?
꼭 보여주고 싶은 게 있어서
이 터널만 지나면 깜짝 놀랄 거야

이 지구 상에 꼭 우리만 있는 것 같지 않아? 아무 소리도 안 들리는 것 같아

-난 잘 들리는데?

저기 가서 서봐 사진 한장 찍어줄게

-아 사진 찍는다며!!

이거 한번에 하트가 안 깨지고 푸면 사랑이 이루어진대

-헐 해봐
웃챠, 짠!
-쩌는데? 근데 부수고 싶어
난 발로 밟고 싶어

여기 가게 이름이 지현이네 튀김인데, 사장님 이름이 지현이래.
-자기애(愛)가 강하신가?
그런 게 아니고 사장님 어머님이 하시던 가게였는데 사장님이 물려 받은 거래.
-그럼 진짜 자기 "애"네..
식겠다 빨리 먹자
-응

9

탈수

나이가 들수록 몸이 건조해짐을 체감하는데,
마음마저 건조해질까 봐 두렵다. 계절의 변화에
물집이 생기듯 타인 혹은 내 마음이 변할 때마다
상처를 낼까 봐 두렵다. 이 두려움을 터뜨릴수록
못난 내 자신이 드러날까 봐 두렵다.

「오후 2시에 캐모마일 차」 중

오후 2시에 캐모마일 차

전대문

"한포진이네요."

며칠 전부터 손에 오돌토돌 물집이 올라왔다. 날이 추워져 그렇겠거니 생각하고 놔뒀는데, 발바닥에도 물집이 올라오기 시작했다. 대상포진이 걸렸나 싶어서 바로 피부과에 갔다. 다행히 대상포진은 아니었고, 한포진이라는 진단을 받았다.

면역력이 떨어지고, 스트레스 지수가 올라가면 걸리는 질환이란다. 한포진에 관해 알아보니, 완치는 어렵고 꾸준히 관리해 줘야 한다는 조언만 많았다. 올라온 수포는 시간이 지나자 터지더니 붉어지고, 피부 겉면이 벗겨졌다. 내 손과 발은 흡사 메마른 사막처럼 건조해졌다. 불과 몇 년 전만 해도 조금 덜 자고, 덜 먹고, 덜 행복해도 괜찮았던 몸은 조금씩 신호를 보낸다. 이 신호는 손과 발끝에서 시작되고 있다. 한포진이 걸리기 전부터 매해 손과 발이 건조해졌고, 바디로션으로는 충분하지 않아서 바디크림을 아침, 저녁 수시로 바르기 시작했다.

나이가 들수록 몸이 건조해짐을 체감하는데, 마음마저 건조해질까 봐 두렵다. 계절의 변화에 물집이 생기듯 타인 혹은 내 마음이 변할 때마다 상처를 낼까 봐 두렵다. 이 두려움을 터뜨릴수록 못난 내 자신이 드러날까 봐 두렵다.

몸의 건조함부터 먼저 챙기기로 했다. 내 일상에서 내 몸을 건조하게 하는 요인을 찾아봤다. 나는 오전에 커피 두 잔, 오후에 한 잔, 퇴근 후 제로

콜라를 마셨다. 하루 동안 물을 먹는 건 아침에 약 먹을 때 반 컵이 거의 전부였다. 커피를 마시면 마신 만큼의 몇 배의 물을 섭취해야 한다는데, 나는 물은 고작 반 컵 마시면서 건조해질까 봐 두려워하고 있었다니.

이 사실을 인지하고 나서부터 오후에 커피 대신, 캐모마일 차를 마시고 있다. 물은 맛이 없으니, 캐모마일 티에 물을 부어가며 2~3잔 마시고 있다. 그래서 한포진이 좋아졌냐고? 물론 좋아지진 않았다. 입술은 언제나 부르터 있고, 손등과 발목에 크림을 수시로 발라줘야 한다. 그래도 마음은 한결 편하다. 아이스 아메리카노를 홀짝거리는 대신, 따뜻한 캐모마일을 마시며 숨도 조금 더 깊게 쉬고, 마음도 나른해지고, 가끔 일하다가 잠도 온다.

마음과 몸은 함께 움직인다. 마시는 것에 조금 더 신경 써야지. 가끔 집중 근무 시간인 오후에 먹었던 아이스 아메리카노가 그리울 때가 있지만, 당분간은 따뜻한 차를 마시며 몸과 마음의 탈수를 줄여봐야지.

+하지만 밤에 마시는 콜라 한 캔은 끊을 수 없다.

그 많던 물은
존레순

운동을 하고 씻으려고 샤워실에 들어갔는데
급한 마음에 옷을 바닥에 둔 채로 들어갔다
한참을 신나게 씻고 나왔다
옆 칸 샤워실의 물이 밖으로 샌 건지
바닥에 던져둔 내 옷이 금세 젖어 있었다
아주 서서히 빨아들였을 테지
나는 그것도 모르고 비누칠도 두 번이나 했는데.

일전에는 두루마리 휴지를
죽처럼 만든 적도 있다
두껍게 두루두루 말린 휴지 역시도
엎지른 물 앞에서는 장사 없었지
내가 정신을 팔고 있는 사이
흥건히 젖었다 휴지 그 녀석도
아주 서서히 빨아들였을 테지
나는 그것도 몰랐다

젖는 순간은 늘 모르지
물은 어디서 어딘가로 흐르니까
젖는 것도 흐르는 것처럼 느껴지는 건지

더 이상 흐르지 않는다면
젖는 것도 멈춘다

돌이킬 수 없을 정도로
너무 많이 젖었다는 걸 깨달았을 땐
이미 너무 늦었다는 걸 알게 된다
그래서 나는 더 이상 흐르지 않기로 한다
여기서 더 무거워진다면
그 어떤 가방도 이 마음을 담을 수 없기 때문에.

더 이상 젖지 않을 때
물은 떠난다
젖는 속도보다 훨씬 더 느리고 천천히

그 많던 물은 다 어디로 가는 건지
축축한 무거움은 다 어디로 가는 건지

공기 중에 떠다니겠지
그러면 나는 보이지 않는 그 공기를 만진다
그것을 사람들은 추억이라고 부르는 것 같다

무리 없음
장철수

을미일주. 내 사주를 알게 된 것은 스무 살 때였다. 학교 앞에 유명한 사주 집이 있었다. 하루에 딱 세 시간만 운영하는데 반응만 잘하면 한 시간도 두 시간도 더 해주는 곳이다. '아저씨가 사실 신내림을 받았대', '정치인들도 와서 보고 간대'. 온갖 소문이 무성한 이곳에서 학교에 다니는 5년 내내 한 번씩은 신년 사주를 봤다. 작열하는 태양 아래 있는 건조한 나무. 큰 나무도 아니다. 화초나 묘목 정도. 물기운을 곁에 두는 게 좋다고 했다. 물 사주를 가진 사람은 귀인일 거라고 했다. 그렇구나 했다.

가만, 나는 물을 굉장히 무서워한다. 엄마는 네 살 때 나를 'YMCA 아기 수영단'에 입단시켰다. 수영도 아니고 물 안에서 둥둥 떠다니며 친구들과 선생님과 일종의 놀이를 하는 프로그램이었는데 나는 늘 수영장 밖에 앉아 울고 있었다. 다섯 살과 여섯 살에는 유치원 대신 수영과 체조, 발레를 하는 곳에 다녔다. 체조와 발레는 즐거웠던 건지 기억에 남는 장면이 없는데 유독 수영은 기억에 남는 장면이 많다. 물에 뛰어들기가 싫어 내 차례가 되면 괜히 물안경이 불편하다며 꾀부리다 걸려서 나머지 수업을 하던 기억, 그렇게 "수민아, 승화야 엉엉" 친구들의 이름을 부르짖으며 울면서 헤엄쳤던 기억. 초등학교 때까지는 꿈에도 자주 나왔는데, 급기야 수영장 화장실에서 쉬를 하는 꿈을 꾸면 실제로 지도에 오줌을 그리곤 했다. 결과적으로 나는 수영은커녕 물놀이도 시원시원하게 하지 못하는 어른이 됐다.

그런데 중학교, 고등학교 시절, 엄마는 가끔 큰 태풍이나 폭포수를 맞는 꿈을 꾸면 내게 꼭 말해줬다. "엄청 큰 물을 맞는데 그게 기분이 좋더라니까." 그러면 나는 시험을 잘 치거나 상을 받았다. 한두 번 반복되니까 하나님을 믿는 엄마는 물 꿈을 서브로 믿기 시작했다. 적중했다. 대학 합격을. 또 적중했다. 회사 합격을. 회사 합격 소식을 듣던 날은 심지어 예상 발표일의 하루 전날이었다. 그날 오전부터 엄마가 오늘 발표가 날 것 같다고 하더니 몇 시간 안 지나서 합격 전화를 받았다. 엄마가 좋은 일이 일어날 것 같다고 하는 날에는 정말이지 신기하게도 좋은 일이 일어났다.

'가만 어쩌면 정말 나는 물이 없는 사주인가 봐. 그래서 아직도 물을 그렇게 무서워하고 물이 있을 때 좋은 일이 일어나는 건가 봐. 맞는 것 같아.'

물이 없는 나무 팔자를 제대로 믿게 된 나는 3년 전, 타투까지 새기게 되었다. 눈 쌓인 나무. 눈은 겨울에 태어난 나무에게 물인 셈이니 딱 맞지 싶었다. 겨울나무의 실루엣은 어쩐지 삐쭉하고 허전한데 눈이 쌓인 나무는 볼록볼록하니 귀엽다. 좋은 일이 일어나기를 바랐다.

그런데 2023년 11월, 결혼식을 앞둔 일주일 전 아래 집에 누수가 시작됐다. 샤워할 때마다 아래 집 천장에서 물이 뚝뚝 떨어졌다. 게다가 누수에 비할 건 아니지만 갑자기 잘 쓰던 비데도 고장이 나서 온수가 나오질 않았다. 겨울에 찬 물로 비데를 하는 건 고통이 따로 없다. 신혼여행을 다녀오고 누수를 잡기 위해 인테리어 사장님과 전문 기사님을 불러 기다리는데 엎친 데 덮친 격으로 에어드레서에서 물이 새기 시작했다. 이미 에어드레서 주변 바닥은 흥건했고 닦아도 닦아도 마를 새가 없었다. 두루마리 휴지 하나를 다 썼다. 아니, 이게 무슨 일이야. 하나같이 물과 관련된 집 구석구석이 고장나기 시작하니 그나마 갖고 있던 나의 물기운이 다 빠져나가는 것 같은 느낌이 들었다. 이 집이 나랑 안 맞나, 지역이 나랑 안 맞나, 아니, 결혼을 잘못했나, 2024년 망했나? 망상에서 비롯된 의심과 불안이 걷잡을 수 없이 커졌다.

차근차근 하나씩 고치고, 보살폈다. 비데는 단지 화상 감지 센서가 고장 났을 뿐이었고 에어드레서는 물 보충 통의 고무마개가 자꾸 빠졌을 뿐이었다. 누수의 원인도 퍽 단순했다. 내 머리카락과 각종 샴푸, 트리트먼트, 노폐물들이 뒤엉켜 하수구를 막고 있었기 때문이었다. 누수를 점검하러 온 기사님이 해준 말이 나를 안심시켰다. "누수는 그냥 확률 싸움이에요. 자동차 사고가 날 수 있다는 걸 알면서도 차 끌고 다니잖아요. 누수도 언제든 사고같이 날 수 있는데 그냥 물을 쓰는 거예요." 그래, 이까짓 것들까지 내 팔자일 리 없지. 아니, 팔자라 해도 물이 없어서 일어나는 안 좋은 일이고 이 정도라면 뭐 충분히 감당해 주지 싶었다.

수영을 하고 싶어졌다. 신혼여행으로 갔던 스페인의 테네리페에서 했던 물놀이 기억이 꽤 좋았다. 해변에 있던 다른 외국인들처럼 대차게 물에 빠지고 헤엄치고 그렇게 멀리까지 나가진 못했지만, 개헤엄이라도 물속에 있는 게 좋았던 기억은 목욕탕이나 온천 빼고 처음이었다. 수영, 어쩌면 재밌을지도 모른다고 생각했다. 그래, 더 이상 잘 꾸지도 않는 엄마의 물 꿈이나, 아무도 못 알아보는 눈 쌓인 나무 타투에 괜한 기대를 걸지 말자. 내가 내 발로 거대한 물속에 들어가 보자. 물속에서 자유로워 보자. 이왕지사, 물속에서도 살아남을 수 있는 능력을 기르자. 팔자는 팔자대로 두고 나는 나대로 살아야지. 그렇게 생각했다. 물이 없대도 무리 없다고.

수도꼭지

킴카나다

난 인간 수도꼭지다.

그것도 엄청 헐거워서 조금의 충격에도 콸콸 쏟아지는 수도꼭지. 어렸을 적 초등학교 운동장 구석에 꼭 하나씩 있던 고장난 수도꼭지마냥 한번 열리면 마를 때까지 멈출 생각을 안 한다.

거기에 난 Fuckin' 대문자 F다.

눈물이 많은 F로 살아가기에 세상은 영 만만찮다. 이 험난한 세상에 약자로 보이기 최적화된 조합이랄까. 눈물 많은 사람 특. 싸울 때 내 의지와 상관없이 눈물부터 주룩 흐른다. 선 눈물 후 말싸움. 벌써 졌다. 아무리 말을 잘해도 염소같이 떨리는 목소리에 시뻘게진 두 눈에서 닭똥 같은 눈물이 뺨에 흐른다? 이미 누가 봐도 진 게임이다.

울고 싶어서 우는 게 아니다.

그냥 눈의 독단적인 단독행동으로 봐야 한다. 눈물 많은 사람 특2. 누가 울면 따라 운다. 이건 뭐 그냥 자동 버튼이다. 입력값과 출력값이다. 눈물 많은 사람 특3. "너 울어?"라는 말을 듣자마자 바로 눈물 행. 울보를 사회에서 만난다면 제발 그 말만은 꾹 참아주길.

동물과 가족을 소재로 한 슬픈 영화는 거들떠보지 않고 애니메이션 영화를 봐도 감동 포인트로 만들어놓은 장치에 알면서도 어김없이 걸려버린다. 사고나 재난 소식의 인터뷰기사 몇 줄, 사진 한 장, 인스타 피드 열 장이 채 지나기도 전에 바로 눈물 버튼이 눌린다. 내가 눈물연기를 업으로 먹고사는 연기자라면 이런 점은 좋을 것 같다. 하지만 나는 직장인이다. 그중 최악은 회사에서 우는 거다. 휴 절레절레.

그런 내가 얼마 전에 회사에서 울었다.

의지했던 상무님이 퇴직하셔서다. 그동안 늘 따듯하게 신경 써주셨던 분이셔서 감사함을 안고 지냈던 터라 아쉬움에 얼굴만 보면 눈물이 날 것만 같은 지경에 다다랐다. 왜 나는 헤어짐을 담담히 받아들이는 으른이 되지 못하는가! 상무님 방에 찾아가 그동안 감사함을 적은 편지를 드리면서 또 고개를 푹 숙이고 울어버렸고 좋은 말씀을 해 주시는 동안 고개만 끄덕였다. '누군가는 쟤 왜 이렇게 오바해, 유난이다'라는 말을 할까 봐 창피했는데. 어떤 분이 그런 나에게 "상무님은 좋겠네, 부럽다, 나간다고 울어주는 후배도 있고!"라고 하셨다. 그래. 이게 내 진심이라면 부끄러운 게 아니야. 내 진심만 전해지면 된 거 아닌가…? 이게 내 솔직한 감정인데 뭐.

눈물이 많다는 건, 내 감정을 상대에게 먼저 들키면서 그 패를 먼저 깐다는 것이다. 나는 그게 불편했다. 감정컨트롤에 능한 이성적인 사람으로 비치고 싶지만 그게 내 맘처럼 안 되니까 속상했던 것이다.

그런데 그냥 나대로 살기로 했다.

사실 선택권이 주어진 건 아니지만. 감정표현이 서툴러서 진심을 전하기 어렵다는 사람도 있는데 이렇게 내가 누군가를 공감하고 있다는 사실이,

내가 누군가를 이토록 신경 쓰고 있다는 사실이, 가끔은 백 마디 말보다 더 진심으로 다가갈 때가 있을 테니까. 난 핸들이 고장난 8톤 트럭이 아닌, 수도꼭지가 고장난 0.06톤 물탱크로 살아갈 운명이니까!!!

누누와 장마

권동력

장마가 시작되면, 어릴 때 기억처럼 억수같이 쏟아붓는 비는 아니지만 여전히 애매하게 무겁고 축축한 공기 속에서 들쭉날쭉하게 떨어지는 소나기가 내릴 때가 있다.

자연스럽게 누누의 산책은 눈치 싸움이 된다. 엊그제 산책을 제대로 시켜주지 못한 게 마음에 걸려 어제는 퇴근하자마자 산책을 시켜주러 나갔는데 동네 한바퀴를 다 돌고도 20분밖에 지나지 않는 터라(산책 시간이 중요하다고 하는 걸 어디서 보고 최소 30분은 지켜주려고 노력한다) 소나기가 올 것 같은 기분을 뒤로하고 평소에 가던 한 시간 코스로 향했다.

건널목을 건너고 중랑천 산책길에 들어서자마자 기다렸다는 듯이 폭우가 쏟아졌다. 사람들이 우산을 펴는 소리에 누누는 기겁했고 우리는 흠뻑 젖은 채 겨우 간이 천막 아래에 몸을 숨겼다.

중2병이 세게 와서 매일 비를 맞고 뛰어다니던 대원동 살던 그 시절이 생각났다. 핸드폰 하나만 가방 깊숙이 숨겨두면 뭐든 젖어도 괜찮을 때였다. 모든 것이 다 말라서 다시 뽀송뽀송해지거나 그렇지 않아도 개의치 않은 것들투성이의 자유로움이 있었다. 그러다가 날씨를 꽤 정확히 예상해 주는 앱이 생겼고, 어디든 뛰어 들어가 우산을 구매할 수 있는 경제적 여유가 생겼고, 아끼는 옷이, 얼마 전에 산 가죽가방이, 가방 안에 든 맥북이 고려되는 시절에 살게 되었다. 자연스럽게 비를 맞아보는 일은 점점 사라졌고, 그 시절에 대한 기억도 희미해졌다.

이날은 아주 오랜만에 비를 흠뻑 맞는 날이었다.

의도했든 의도하지 않았든 누누는 나를 의외의 장소와 순간으로 안내한다. 마치 육아를 시작한 사람들이 다시 요즘 유행하는 만화와 동요를 즐거이 듣고 익히며 어린 시절의 사진을 회상하듯, 나는 누누가 제공하는 방식의 동심으로 이끌려간다. 조금 더 시간이 지난 후에 또다시 비를 흠뻑 맞는 날이 온다면, 그땐 중학교 시절의 내가 아니라 우리가 함께 비를 맞았던 30대 즈음 나의 모습을 기억하게 되길.

누누와의 작은 에피소드 하나에도 바짝 마른 마음에 단비가 스며든다.

누누와 산책

횐골틸틔

지금은 모든 것이 켜켜이 상자에 담겨서
창원과 서울을 그리고 자취방과 베를린을 오가며
버려지고 또 낙오되어 버린 그 수많은 사물과
취향의 흔적들. 언제부터 기억상실과 함께
빈방처럼 비워져 버린 건지 조금 허탈한
마음이 들었다.

「취향의 형태」 중

취향의 형태
권동력

얼마 전 우연히 자취방을 소개해 주는 유튜브를 보다 불현듯 과거의 순간이 떠올랐다. 확고한 취향의 선택과 신념들만으로 살아가던 10대, 20대의 내 모습이. 뽑기에서 나온 특이하고 귀여운 소품, 맷돌이나 볏짚 같은 골동품, 오래된 동네 문방구에서 발견한 기괴한 장난감, 친구들과 짧게라도 주고받았던 모든 편지, 각종 캐릭터의 스티커, 길 위에서 훔치고 빼돌린 안전제일 푯말이나 부처님오신날 걸린 연등 같은 것들, 20대 내내 학교 도서관에서 일하며 주워 온 버려지는 책 커버, 오래된 음악감상실에서 싹 내다 버린 2천 장가량의 LP, 영화관에서 나눠주던 홍보물…

지금은 모든 것이 켜켜이 상자에 담겨서 창원과 서울을 그리고 자취방과 베를린을 오가며 버려지고 또 낙오되어 버린 그 수많은 사물과 취향의 흔적들. 언제부터 기억상실과 함께 빈방처럼 비워져 버린 건지 조금 허탈한 마음이 들었다.

아마도, 조그마한 것들을 하나씩 포기해 나가면서 이렇게 된 게 아닐까 싶다. '커튼 하나를 신경 쓰지 않기 시작하고, 공짜라는 이유로 어디선가 숟가락 세트를. 어떤 기념적인 사건에 대한 감사한 마음 대신 타올, 향초 따위를 취향과 별개로 얻어오기 시작하는데 그런 모든 것들이 하나씩 내 취향의 형태를 잠식해 들어간 게 아닐까.' 근데 그즈음엔 정신이 매우 아팠고, 모든 사물과 생각들이 머릿속에서 달그락거리며 각자의 존재감을 뽐내고 있었기 때문에, 나로서는 도무지 어찌할 도리가 없었다. 취향과 신념이라는 말로 따져 들어갈 것 없이 그저 쌓여가는 물건들이 집 한쪽에 어떻게든 자신의 자리를 마련해서 가만히 있어만 준다면, 그것이 취향이든 아니든 그런 건 중요하지 않았다. 물건들이 고요 속에서 침묵을 유지해 주는 것이 훨씬 더 중요했다.

나에게 말을 걸지 말 것. 자신의 필요를 피력하지 말 것. 그리고 무엇보다도 눈에 띄지 말 것. 원래 그 자리에 있었던 것처럼 행동할 것.

몇 년 전 친구 Y가 사물에 관해 쓴 짧은 소설이 있는데 들어보겠냐고 하면서 이 흥미로운 이야기를 특유의 말갛고 생글생글한 얼굴을 한 채, 그러나 언제나처럼 약간은 울 것 같은 목소리로 낭독해 가기 시작했다. 대략적 내용은 이렇다. 소설 속 주인공 Y는 기묘한 습관이 있는 사람이다. 그는 언제나 집을 오랜 시간 비우고 외출에서 돌아올 때면, 현관 앞에 서서 마치 출석 체크를 하듯 집안의 물건들 이름을 하나하나 호명한다. 컴퓨터, 왼쪽 벽의 선반, 식탁, 냉장고, 의자 1, 의자 2, 벽시계, 옷걸이, 물컵…… 크고 덩어리진 가구에서부터 소소한 소품의 이름들까지 모든 물건이 대답할 때까지 멈추지 않고 계속. 이야기는 외출에서 돌아온 주인공이 물건을 호명하는 순간부터 사이사이 대답이 들려오지 않는 물건들에 대한 주인공의 불안과 울림 뒤의 적막 같은 감정들에 대한 간단한 설명만 할 뿐, 모든 물건들이 자신의 이름을 듣고 대답했는지 알 수 없이 끝이 난다. 주인공 Y는 무엇을 확인하고 싶었던 걸까? 출석 부르기는 결석자 없이 완결되었을까? 대답하지 못한 것들은 어디로 사라졌을까?

이후로도 오랫동안 Y가 들려준 이 이야기를 곱씹으며 생각했다. 아주 잊어버려 부를 수조차 없는 사물들이 살던 방이 내게도 있었다는 사실을.

기억이 돌아온 건 한참이 지나고 난 후 우연한 계기였지만, 한번 기억이 돌아오고 나니까 마치 어제까지 사용하던 물건인 것처럼 세세한 색깔과 형태 냄새까지 전부 생각나기 시작했다. 결국 기억해야 했던 건, 사물들 하나하나의 이름이 아니라 내게도 취향이라는 게 있었다는 사실이다. 흩어져 버린 줄 알았는데 분명 남아 있다. 빈티지 샵에서 산 눈이 징그러운 곰 인형과 강아지 그림이 그려진 액자, 책상 위에 덕지덕지 붙은 포토 스티커들, 독립영화 포스터, 회사 동료가 필요 없다고 양도해 준 이케아 곰 인형, 화려한 듯 수수한 큼직한 체크무늬 이불 커버, 빨간 캐비닛, 등산 포스터… 몇몇은 변해버린 취향을 반영하고 몇몇은 그저 가야 할 곳을 찾지 못하고 아직 상자 속에 담겨 있을 뿐. 오랜 외출 뒤에 문을 열고 들어온 빈방이지만 모두 조금 다른 모습으로 여전히 내가 사는 공간 속에 조용히 숨겨져 있는 걸 보고는 안도감이 들었다. 그것들이 나를 한 번도 떠난 적이 없다는 것에 대해. 내가 취향이고 뭐고 그런 기준이 아무것도 없는 인간으로 변해 온 것이 아니라는 것에 대해. 불안하게 매번 현관에 서서 출석 부르기를 할 필요가 없다는 사실에 대해.

사소해 보이는 취향 안에도 각자의 정신과 신념이 다 녹아져 있다. 흩어져 버린 줄 알았는데 분명 남아 있었다. 변해도 사라지는 건 아니다.

성 바꾸기
전대문

며칠 전 '엄마 성 따르기'를 주제로 '모'의 성으로 바꾸려는 사람의 인터뷰를 보고, 나도 성을 바꾸는 걸 고민하고 있다. '이 생각을 왜 한 번도 안 해봤지?'라고 생각했을 만큼 나처럼 성 바꾸기에 적합한 사람이 없기 때문이다.

나는 초등학교 때 개명했다. 성인이 되어 책을 만들 때도 본명을 쓰지 않는다. 쉬이 이름을 바꾸며 새로운 부캐를 끊임없이 만든다. 이름을 바꾸는 게 나에겐 어려운 일이 아니란 얘기다. 또한 아빠와는 연락이 끊긴 지 거의 20년이 지났다. 중학교 때 이혼한 뒤로, 드문드문 만나던 인연은 성인이 되고 완전히 끊어졌다. 그러니까, 나에게 남은 아빠에 관한 유일한 흔적은 내 이름 앞에 붙는 성인데, 나에게 사랑을 준 사람도 아닌 사람의 흔적을 굳이 남겨야 하는 이유가 없는 것이다.

그런데 한 가지 걸리는 점이 있다. 지금부터는 이론적으로 설명할 수 없는 K-샤머니즘과 관련된 이야긴데, 엄마 성으로 바꾸고 내 운명이 변할 수도 있는 점이 염려된다는 것이다. 나는 개명을 하면서 내 운명이 한번 바뀌는 경험을 했다. 이건 진짜다. 내가 실제로 경험 했으니까.

이름을 바꾸기 전이었던 10살까지 나는 해마다 열병이 나거나 크게 다쳤다. 9살 때는 열이 40도가 넘게 나 사경을 헤맨 경험이 있고, 거의 매해 살을 꿰맬 정도로 크게 다쳤다. 동맥을 아슬아슬하게 비껴간 상처가 양팔에 있고, 눈썹, 손가락, 허벅지, 무릎도 찢어진 자국이 있다. 놀랍게도 이름을 바꾼 뒤로 크게 다친 적이 없다.

성격도 바뀌었다. 반 친구들과 잘 어울리지 못하던 내가 이름을 바꾼 뒤론 친구들과 잘 어울리게 되었다. 중고등학교 내내 반장을 하며 무난한 학창 시절을 보냈다. 물론 현재 외상은 없고 내상에 그득그득해 신경안정제와 함께하는 삶을 살지만, 이것 또한 나의 삶이라고 받아들이고 있고, 내 삶의 궤적에 큰 변화가 있기를 바라지도 않는다.

성을 바꾸고 갑자기 외상을 입는 사고가 발생한다면? 갑자기 사람들과 관계가 안 좋아진다면? 어느새 나는 성이 바뀌면 생길 부정적인 변화를 염려하고 있었다. 이 염려들은 내가 더 이상 큰 변화를 원하지 않고, 지금의 삶에 만족한다는 의미이기도 했다. 변화로 인한 새로움보다 지금 있는 것을 지키고자 하는 마음이 큰 건 나이 탓일까? 나이 탓이라면 조금 울적해지지만, 어쩔 수 없다. 받아들이는 수밖에.

그래서 엄마 성으로 바꾸기를 포기했냐고? 앞에서 K-샤머니즘을 언급했을 때부터 알아차렸겠지만, 나는 샤머니즘에 진심이다. 요즘 사주풀이를 잘해주는 사람, 신점 보는 사람들의 연락처를 알음알음 모으고 있다. 날이 따뜻해지면, 엄마 성을 넣어 사주를 보고 결정할 것이다. 점쟁이, 무당으로부터 변할 게 없다는 대답이 나오길 바란다. 이참에 가부장 흔적 좀 지워보게!

게으른 미라클 모닝
존레순

'수신제가평천하'라고 했거늘! 올해부터 진짜 30대가 된 나의 "보여줄게 완전히 달라진 나"

어떻게 달라질 거냐면, 다시 아침형 인간으로 돌아갈 것이다. 하지만 부지런해질 자신은 없다. 꼭 미라클 모닝이라는 것이 새벽 4~5시쯤 기상해서 빡세게 운동하고 공부도 하고 출근해야 하는 것은 아니지 않나?!

게으른 내가 한 달째 지속 실천하고 있는 미라클 모닝을 간략히 소개하겠다.

첫째, 운동 열심히 말고 꾸준히 하기
작년 가을쯤부터였나, 1년 넘게 하던 출근 전 운동을 석 달 넘게 쉬어버렸다. 출근 전에 운동을 어떻게 하냐는 물음에 운동은 관성 같아서 처음 한두 번은 힘든데 하다 보면 몸이 알아서 움직인다고 대답하던 나는, 말 그대로 게으름의 관성에 잡아먹힌 것이다. 지금도 2주에 한 번씩 코치들이 언제 복귀할 거냐는 문자를 보내지만 미안함을 무릅쓰고 '안읽씹'을 한다. 그렇게 나는 석 달간 운동을 쉬면서 왜 다시 돌아가는 것이 이토록 힘든가 하고 고민했는데, 다시 운동을 시작하면 원래 했던 만큼의 강도만큼 올릴 자신이 없었기 때문이었던 것 같다. 그러니까 나는 하나에 꽂히면 그걸 엄청나게 열심히 하는 편인데, 1년간 운동에 꽂혔을 때도 엄청 열심히 했다. 다시 센터에 돌아가서 그만큼 할 자신이 없었다.

사실 그냥 가볍게 움직이는 정도로만 운동을 해도 괜찮은데, 누가 빡세게 하라고 강요한 것도 아닌데 괜한 강박에 사로잡혔던 것 같다. 어느 기사에서 봤는데, 이게 운동 중독의 일종이라고 했다. (운동 없는 운동 중독이라는 아이러니여…) 아무튼 나는 이걸 극복하고 싶어서 다시 시작하는 운동은 열심히가 아닌 꾸준함을 목표로 두기로 했다. 주어진 시간 내에 나의 최대치를 끌어 올려야 할 것 같은 미션형 운동이 아닌 큰 자극은 없을지언정 나의 몸에 집중할 수 있는 운동이 필요했다. 그렇게 새로운 운동을 시작했고, 회사 일이 바쁘지 않을 때는 퇴근 후 운동 가기!라는 나와의 약속을 (아직까지는) 꾸준히 지키고 있다.

둘째, 너무 지각하지 않기
출근 전 아침 운동 루틴이 무너지기 시작하면서 덩달아 출근 시간도 엄청나게 늦어졌다. 출근해서 짐 풀고 컴퓨터를 켜면 금방 점심을 먹으러 나가면서 '이래도 되나…' 싶고 아무도 뭐라고 안 하지만 이로 인한 자책이 날이 갈수록 늘었다.

이에 대한 이야기를 친구들과 했는데, 큰 위로를 받았다. 나만 그런 줄 알았는데 다들 나랑 비슷한 시간에 출근하고 있었던 것이었다. 나는 그걸 듣고 안심하고 아 앞으로 늦게 오는 것을 자책하지 말아야지, 했는데 친구들이 너무 안 좋은 습관 같다며 고쳐보자고 했다. 그 말을 들으니까 안심했던 스스로가 좀 또 보잘것없이 느껴져서 안심한 마음을 몰래 숨기고 좋다고 했다.

우리의 고질적인 늦게 출근하는 버릇을 고치기 위한 방법은 바로 돈 내기였다. 10시 10분을 넘어서 올 경우 1,000원, 20분을 넘으면 2,000원, 30분을 넘으면 3,000원 이런 식인 거다. 2월 1일부터 시작한 내기에서 벌써 7,000원의 벌금이 누적되었지만 나날이 갈수록 출근 및 기상 시간이 점점 앞당겨지고 있다. 친구는 덕분에 출근이 게임하는 것 같다고 좋다고 했다. (좋은 거 맞지…)

++ *셋째, 욕심내지 않고 글쓰기…*

어쩐지 나의 목표들이 각각의 독립적인 것들이라기보다 서로 연관된 하나의 무언가 같다는 생각이 든다. 아침 운동을 그만두게 된 것도 아침에 일어나는 것이 어려워졌기 때문이고, 그래서 11시가 다 된 시간에 출근하게 됐으니까. 아침 운동을 하루도 빼먹지 않던 시절에 누군가 내게 비법을 물었다. 그때 내가 한 말은, *"그냥 알람을 듣고 눈이 떠지면 아무 생각도 하지 말고 몸을 움직이면 된다."*고 했다. 생각을 하기 시작하면 핑곗거리가 늘어나고, 핑계를 만들다 보면 합리화하게 되기 쉽기 때문이다. (마치 지금의 나처럼…)

이 모든 게 지키기가 너무 싫어질 때면 '*하기 싫은 것을 해내면 건강한 도파민이 나온다*'라는 주문을 나에게 건다. 이건 내 운동 선생님이 해준 말이었는데 아마도 과학적인 근거가 있는 것일 테다. 그러니까 이 모든 게 너무나도 하기 싫어질 때면 오히려 좋다. 6시간 동안 어둠 속에서 릴스를 보며 피폐해진 나의 전두엽이 건강해질 수 있는 절호의 기회를 얻은 거니까!

아무튼 이런 것들을 지키다가 보면 어느새 다시 매일 아침 800칼로리씩 소모되는 빡센 운동을 하고 출근하던 그때의 관성으로 다시 돌아갈 수 있지 않을까. 못해도 좋다. 아침 10시 10분에 겨우 출근하고, 덜 빡센 운동을 하는 삶도 지금 내게는 기적과도 같은 삶이다.

달라진 건
장철수

수호천사라는 드라마가 있다. 송혜교랑 김민종이 주인공인 드라마인데 나만 열심히 봤지, 대중적으로는 망한 것 같은 드라마. 초1이 그런 구구절절한 사랑 얘기를 왜 봤냐면 우리 집 앞 교회(혹은 성당일지도 모른다)가 극 중 송혜교 집으로 나왔기 때문이다. 촬영하는 걸 볼 때마다 나는 교회로 가 멀찌감치 떨어져 구경했다. 한번은 어떤 스텝이 나보고 와보라는 손짓을 했는데, 얌전히 갔으면 내 미래가 달랐으려나 생각도 해봤다. 그럴 깜냥은 예나 지금이나 없다.

이 갑작스러운 추억 여행은 나모의 말에서 시작되었다. 웬 북촌에 사진 미술관에 가고 싶다는 것이었다. '뮤지엄한미'라는 곳인데 공간이 좋은 것 같다고. 어디 있는 곳이냐고 물었더니 삼청동 깊숙이에 있는 것 같다고 했다. 웬걸! 수호천사에 나오던 그 교회 자리가 멋진 사진 미술관이 되었던 것이다. 졸업한 유치원은 MoPS라는 또 다른 멋진 사진 미술관이 되어 있었다.

다시 가본 동네는 무척 신기한 모습이었는데, 사실상 저 두 공간 말고는 달라진 게 거의 없었기 때문이다. 확신의 경기도민이 된 지금 외지인의 눈으로 보자면, 서울 한복판 동네에 아직도 이런 골목이 남아있다니 싶었다. 서울의 많은 도시들은 쉴 새 없이 휙휙 변하고 마는 와중에도 이곳만큼은 그대로였다. 초등학교 때 뛰어다니던 골목도, 심부름하러 가던 슈퍼와 터줏대감같이 있던 보리밥집도, 락카페와 공영주차장, 절까지. 영업은 하지 않더라도 건물들은 그때 그 모습으로 똑같이 남아있었다.

재밌었던 건 사진 미술관이 된 유치원 건물이었다. 자주 그네를 타고 놀던 유치원 놀이터는 작은 정원이 되어있었고, 선생님과 인사를 나누던 유치원 현관은 미술관의 입구가 되어있었다. 내부에 들어가 전시를 보는데 어라, 비교적 현대적인 느낌의 내부 전시실과 다르게 중앙 나무 계단은 삐걱삐걱 오래된 소리를 내고 있는 것이 아니겠는가. 계단의 폭도 좁고 높이도 낮은 게 아, 내가 밟고 다니던 그 계단이구나 단번에 알아차렸다. 순식간에 이상한 기분에 사로잡혔다.

옛날에 우리 가족이 살던 집은 여전히 아주 깊숙이에 있었지만, 찾아가는 길이 어릴 적 기억만큼 멀고 높고 길지 않았다. 어릴 적엔 한참을 걸어 올라가야 도착했던 것 같은데. 집으로 꺾어 들어가는 길목도, 운동장만 하다고 생각했던 공영주차장도 다 너무 작아져 버렸다. 많은 것들이 그대로인데 왜 나는 그토록 생경했을까. 달라진 건 나뿐이라는 말이 딱 들어맞지 싶었다.

동네를 돌아다니며 여기선 이런 기억이 있고 저기선 저런 기억이 있다며 나모한테 주책을 떨었다. 나모는 참 멋진 동네라고 했고 나는 이곳에 사는 사람들이 부럽다고 했다. 세상의 어떤 것들은 지금의 나에게 없어서 더 아름답게 느껴지는 것 같다.

따뜻한 불만 켜주세요
킴카나다

밤이 찾아오면 우리 집에서 금기시되는 것이 하나 있다. 바로 형광등을 키는 것. 오직 간접조명만이 우리 집을 책임지고 있는데, 주로 노란빛의 따뜻한 조명이다. 결혼하기 전 부모님과 같이 살 때 거실을 환하게 비추는 형광등이 늘 못마땅했다. 형광등을 켜면 집이 경직되어 보이고 마치 병원이나 은행에 온 듯한 딱딱함과 긴장감마저 준다. 심지어 오래 있다 보면 눈의 피로도가 쌓여 피곤함이 몰려오기도 한다. 그래서 남편과 신혼집을 꾸밀 때 우리 집은 절대 형광등을 켜지 않겠다고 선언했고, 그 이후로 쭉 간접조명만을 고집하고 있다. 차가운 푸른빛의 형광등으로 또렷하고 선명한 집보단 따뜻하고 차분한 조명이 켜진 집에서 편안함이 더 크게 느껴지다 보니 저절로 예쁜 조명에 관심이 가기 시작하면서 그렇게 하나둘 모으게 된 조명도 꽤 개수가 늘었다.

그럼에도 정말 불가피하게 집에서 심지어 낮에 형광등이 켜지는 순간은 딱 세 가지 경우인데, 한 가지는 청소할 때와 잃어버린 물건을 찾을 때, 그리고 형광등에 익숙한 부모님이 집에 오실 때이다. "어휴 왜케 어두워 불 좀 켜~" 라는 엄마의 말에 다른 곳에선 사랑받았을 테지만 우리 집에선 제 기능을 잃고 오랜 잠을 자고 있던 거실 천장에 있는 세 개의 직사각형 형광등이 동시에 기다렸다는 듯 반짝 제빛을 뽐낸다.

간접조명을 킨 집과 형광등을 킨 집의 모습은 정말 천지 차이다. 집 내면의 모습을 붉은 모습으로 내비치는 게, 마치 진짜 속마음을 보여주는 것 같달까. 따스한 빛을 통해 집을 보면 심리적인 안정감은 물론 집안 모든 것이 예뻐 보이는데 특히 그 안에 있는 배우자가 무척 예뻐 보인다. 우리는 집이 작은 탓에 거실에 소파는 포기하고 긴 식탁을 놓고 생활 중인데, 식탁에 어떤 음식을 올려놓아도 맛있어 보이니 대충 차린 술 차림마저 근사한 와인바에 온 듯한 분위기를 낸다. 간접조명만 켜고 저녁에 식탁에 앉아 남편과 도란도란 이야기하며 술 한 잔 먹는 게 최고의 행복한 순간이다. 집 안에서 우리의 행복한 순간들은 늘 따뜻한 빛으로 기억된다.

탈덕

그에 대한 모든 것을 알고 싶었던 욕심은 그에 대해 알지 않아도 될 것들까지 번졌던 것이다. (중략) 상호적이라 좋았던 그와 나의 '관계'라는 것은 결국 나의 좋아하는 마음을 점점 앗아가기 시작했다. 가까워질수록 멀어지는 마음이라니, 이 얼마나 아이러니한가.

「성덕의 조건」 중

사랑은 무한대이외다 김명순 에세이의 제목을 가져왔습니다.

전대문

때는 코로나로 재택 근무하던 시절, 무엇이 날 그곳으로 이끌었을까? 나는 유기 동물에게 가족을 찾아주는 앱인 포인핸드라는 앱을 내려받았고, 안락사 공고 명단에 있는 강아지들을 보고 있었다. 페이지를 넘기는 속도가 느려졌고, 쓰윽 쓰윽 엄지손가락을 움직이다가 내가 본 그날이 안락사 날인 벌벌 떨고 있는 강아지를 발견했다.

'임시 보호라도 할까? 이건 어떻게 신청하는 거야?'

태어나서 반려동물과 살아본 경험이 없었던 나는 반려동물 입양 혹은 임시 보호 신청하는 법도 몰랐다. 배우자와 상의도 하지 않은 상태였다. 그런데 마음이 급해졌고, 한두 시간 고민했을까? 고민하다가 보호소에 연락해 보니, 그 강아지는 이미 안락사된 상태였다.

너무 허탈했다. '내가 조금만 빨리 연락했다면 좋았을 텐데.'란 죄책감에 사로잡혔다. 이날이 작은 동물 덕질의 첫 시작일이었다. 나는 유기견 보호소 카페에 가입했다. 주말에 봉사활동도 가보고, 강아지 훈육법에 관한 유튜브를 보며 강아지와 함께 사는 법을 배웠다. 유튜브에서 말해주는 강아지 훈육법은 너무 다양했고, 내가 돌봐줘야 할 부분도 많았다. 하지만 내 열정을 꺾을 순 없었다.

배우자를 설득한 끝에 우선 임시 보호를 하기로 하고, 매시간 보호소 카페를 들락날락했던, 무척 더웠던 여름날, 나는 보호소 카페에서 호키라는 하얗고 작은 강아지를 보았다. 그 강아지를 보는 순간, 배우자에게 "나

애를 데려와야겠어."라고 통보하고, 곧장 보호소에 연락했다. 뜸 들이다가 인연을 놓친 실수를 반복해선 안 된다.

내가 연락을 한 첫 번째 사람이었고, 우리 집의 환경을 얘기하자 보호소에서는 바로 오늘 데려갈 수 있냐고 물었다. 지금 생각하면 강아지를 위한 기본적인 것조차 준비해 놓지 않은 우리가 무슨 용기로 그랬는지, 바로 호키를 데리러 보호소로 갔다. 우리가 도착하자 보호소 직원은 호키를 내 품으로 와락 건네주었다. 내 생애 처음 사람이 아닌 다른 생명체를 안아본 순간. 작고 딱딱하면서도 부드러운 이 아이가 나를 지긋이 쳐다보았다.

호키는 사람을 무척 좋아하는 강아지였다. 집에 온 순간부터 내 앞에만 있고, 안아주면 좋아했다. 어려움이 없었던 건 아니다. 사람을 좋아하는 만큼 분리불안이 심해 우리가 나가면 문 앞에서 계속 소리내어 울었다. 다행히 재택근무 시기여서 나는 되도록 나가지 않고, 호키를 보살폈다. 그렇게 호키는 3주가량을 우리 집에 있었다. 그동안 나는 임시 보호자의 의무를 다하기 위해 SNS에 입양 홍보를 했다. 하루하루 사랑이 커졌지만, 어디까지나 나는 임시 보호자의 임무를 다하자고 마음을 다잡았다. 그러던 어느 날, 호키의 원 가족이 보호소로 연락이 왔다. 그런데 호키를 잃어버린 이유를 계속 다르게 말하고, 한 달 동안 호키를 찾지 않았던 점이 의심스러워 보호소 측에서 먼저 호키의 원 가족의 집을 방문했다. 원 가족이라는 것이 증명되었다. 그 다음날 나는 호키를 집으로 데려다주었다.

집으로 데려다주기 위해 탄 택시 안에서 호키는 여전히 나를 보며 웃고 있었다. 그리고, 이별의 순간 나를 향해 슬픈 눈빛을 보냈다. 나는 나에게 그런 슬픈 눈빛을 보여준 생명체를 아직 만나본 적이 없다. 아직도 생생

하게 남은 그 슬픈 눈빛. 이 눈빛을 뒤로 한 채 집으로 온 날, 나는 주저앉아 울어버렸다. 호키는 없지만 집 안에는 호키의 냄새와 용품이 가득했다. 일생에서 이렇게 울어본 적이 있었나 싶을 정도로 소리내어 울며 호키의 흔적을 지웠다. 그렇게 내 첫 임시 보호는 끝났다.

호키에 이어서 동철이라는 하얀 강아지를 임시 보호했다. 동철이에게 미안하지만, 호키처럼 마음을 주지 않기 위해 최대한 거리를 두고 기본적인 산책과, 놀아주는 것만 해주었다. 동철이도 한 달가량 우리 집에 있다가 미국으로 입양을 갔다. 두 번의 임시 보호를 하며 더 이상 임시 보호는 하지 않겠다고 다짐했다. 배우자와 나 모두 회사원이니 강아지와 함께 살기엔 무리라고 생각해 고양이를 반려 가족으로 들이기로 했다. 틈만 나면 유기묘 카페와 SNS를 들락날락했다. 그렇게 1년… 왜 우리 가족은 안 나타나는지…

22년 1월 16일 체감 온도가 영하 20도로 떨어졌던 날, 나는 평소에 잘 가지 않던 고양이 카페에 들어가게 됐고, 그곳에서 회색 고양이를 발견하였다. "얘다!"라는 확신이 왔다. 곧장 자고 있던 배우자를 깨워 회색 고양이를 보러 가자고 했다. 구조자에게 아이를 보고 입양을 결정해도 되냐고 물었더니, 흔쾌히 당연히 보고 결정하는 게 맞다고, 아이를 보러 오라는 답변을 받았다. 그날 밤 나와 배우자는 의정부로 향했다. 초행길인 데다, 깜깜하고 추웠던 그날 우리는 회색 고양이를 보고 한눈에 반해 버렸다. 고양이가 너무 예뻤지만, 나는 아직도 내가 잘 키울 확신이 들지 않았다. 구조자는 임시 보호를 하고 입양을 결정하는 건 어떻겠냐는 제안을 해주었고, 그렇게 회색 고양이가 우리집에 오게 되었다. 입양을 결정하는 동안 매일 눈물이 났다. 내가 이 아이를 잘 키울 수 있을지 확신이 서지 않은 불안함의 눈물이었다.

그러던 어느 날, 내가 잘 키울 수 있겠느냐는 물음에 대한 친구의 답을 듣고 나는 입양을 결심하게 되었다.

"너는 못 할 거야. 모든 게 처음이잖아, 어떻게 잘할 수 있겠어?"

그 말에 나는 되려 용기를 얻었다. 그래, 나는 못 할 거다. 모든 게 미숙할 거다. 하지만, 이 아이를, 최선을 다해 돌봐줄 에너지가 나에겐 있었고, 에라 모르겠다는 심정으로 입양을 결정하였다. 그렇게 호야가 우리 가족이 되었다. 2년간의 반려동물 덕질도 막을 내렸다. 덕질을 한다는 건 오롯이 좋아하는 마음만 가득한 건 줄 알았다. 하지만 그곳에는 사랑을 유지할 수 있을지에 대한 두려움 또한 존재했다. 사랑의 크기와 비례해 두려움 또한 커진 나의 첫 덕질. 덕질을 끝내고, 지금 나에게는 호야를 향한 무한한 사랑만 가득하다. 탈덕하면 안티가 되는 경우가 많다던데, 호야 안티가 될 리 없기에 난 행운아라고 해야 하나?

내 첫 덕질의 대상이었던 호키에게 나는 항상 고맙다. 내 안에 있던 사랑과 용기를 알게 해 준 호키가 잘 지내기를 항상 기도한다. 내 사랑의 크기가 무한대로 커질 수 있었음을, 사랑의 가능성을 알려준 쟈근 친구들, 모두 행복해야 한다.

빛나는 탈덕
장철수

중학교 1학년, 우리 학교와 같이 있는 고등학교 축제에 아직 데뷔도 안 한 SM 아이돌 그룹이 온다는 소식을 들었다. 동방신기냐 빅뱅이냐를 두고 싸우던 시절에도 난 그 누구도 좋아하지 않았으니, 이번에도 관심이 없는 건 당연했다. 친구들 사이에서 사진이 돌기 시작했다. 학교 체육관에서 땀을 뻘뻘 흘리며 춤을 추고 있는 형형색색의 남자 다섯. 그래서 이름은 뭐래? 샤이니래.

누난 너무 예뻐서 남자들이 가만 안 둬
흔들리는 그녀의 맘 사실 알고 있어

학교에 한 번 와서 그런가, 일찍이 관심을 가져서 그런가. 그들이 데뷔할 무렵 우리 학교엔 샤이니의 팬임을 외치는 아이들이 늘어나고 있었다. 일찍이 홍대병을 앓으며 인디 음악을 듣는 게 멋이라고 생각해 장필순이나 브로콜리너마저, 검정치마가 꽉 자리 잡은 내 아이팟에 샤이니가 들어올 여유는 없었지만, 그래도 그들에게 호의적이었다. 이유는 단순하게도 동방신기와 빅뱅이 아니라서.

산소 같은 너
난 너만 들이쉬면 다시 내뱉을 수 없어
이 잔인한 고통 속에 내가 죽어가고 있잖아

그해 여름, 이제 그들은 누나에서 너를 부르기 시작했다. 일반인 여성과 소개팅하는 자체 리얼리티를 시작하고 즐겨 듣던 라디오에도 게스트로 자주 등장했다. 어수룩한 모습이 좋았고 노래를 잘 불러 좋았다. 검색이 덕질의 시작이라던데. 리얼리티 속 움짤과 보이는 라디오로 노래 영상을 찾아보기 시작했다. 종현이 부르는 정엽의 'Nothing better'와 온유가 부르는 김연우의 '이별택시'를 아이팟에 넣었다. 호감은 무한대로 커졌다.

딱 한 번의 덕질이었다. 곧바로 공식 팬클럽 1기에 가입했다. 샤이닝닷컴이라는 당시 꽤 큰 팬 사이트에도 매일 들어갔다. 닉네임은 키엄마의엄마였는데 키가 멤버들을 잘 챙겨 생긴 키엄마라는 별명에 나름 재치를 더한 닉네임이었다. 내 방은 온통 샤이니 포스터로 가득했다. 교복 브랜드 포스터, 치킨 포스터, 매거진 화보 등 온갖 것을 방과 책상에 붙여놓았다. 친구들과 매일 샤이니에 관한 수다를 떨고 팬들이 쓴 BL 소설을 읽으며 잠에 들었다. 어느 한 소설은 글이 너무 좋아서 국어 선생님이었던 담임선생님한테 제발 봐달라고 소리내어 읽어드리기도 했다. 그게 고3까지 갔다.

이런 적도 있다. 부모님 찬스로 KBS가요대축제의 입장권을 쉽게 얻을 수 있었는데 말 그대로 입장권이어서 좌석표는 줄을 서서 따로 받았어야 했다. 꼭, 꼭 앞에서 보고 싶은데, 학원에 다녀 와야 하는 나를 위해 엄마가 줄을 대신 서있어주기도 했다. 그 겨울, 그 몇 시간을, 바깥에서. 불효녀도 이런 불효녀가 없다. 덕분에 직접 만든 플랜카드(키엄마의엄마라는 닉네임을 붙여두었다)가 화면에 잡히기는 했지만.

스무 살, 대학에 입학하면서 샤이니에 대한 내 관심이 줄어들기 시작했다. 여중-여고를 나와 온갖 우악질을 거리낌 없이 하던 여고생이 이성에 눈을 뜨면서 겪는 당연한 수순이었다. 내게 주어진 자유를 누리며 놀고 놀고 또 놀면서 그들에게 할애하는 시간이 적어지는 것이었다. 몇 번을 연애하면서는 더 자주 잊어버리게 되었다. 실존하는 연애가 주는 설렘은 모니터 속 그들이 주는 설렘보다 훨씬 다채로웠고 임팩트도 강했다. 그래도 앨범이 나오면 꼭 다 들어보고 무대 영상을 찾아봤다. 친구들이 이번 샤이니 노래 좋다더라 하면 괜히 으쓱대기도 했다.

그렇게 스물넷. 취업 준비를 할 때였고 카페에서 알바를 하고 있던 날이었다. 마감하고 그제서야 폰을 봤는데 모든 뉴스와 인스타그램이 한 가지 소식으로 뒤덮여 있었다. 너무 충격적이었다. 믿기지도 않았다. 아니 도대체 왜. 그가 남긴 글을 읽어보았다. 그의 가사처럼 그가 써 내려가면서 내쉬었을 그 무거운 숨을 내가 어떻게 헤아릴 수 있을까. 모든 마음을 헤아릴 수는 없지만 그 답답함과 괴로움이 어렴풋하게 느껴져서 고통스러웠다. 시간을 돌려 내가 뭐라도 할 수 있는 일은 없었을까 되뇌고 상상했다. 그렇게 한동안은 멍을 때리며 시간을 보냈다.

여전히 나는 나의 십대 시절만큼 열정적으로 그들을 찾진 않는다. 그들에게 시간을 쏟지 않고 돈을 쓰지 않는다. 다만 그들이 어떤 모습이든 무한한 신뢰와 애정의 마음을 담아 바라볼 준비가 되어있다. 누군가 나의 덕질에 관해 묻는다면 아주 자랑스럽게 답할 준비도 되어있다. 그러니까 시간과 돈으로 하는 덕질은 끝났지만, 마음으로 하는 덕질은 끝나지 않은 것이다. 끝날 수도 없고 끝날 리도 없다. 마음은 영원하니까. 나는 탈덕했지만 탈덕하지 않았다.

탈덕은 없다

킴카나다

우리 남편은 참 귀여운 구석이 많다. 나보다 두 살 어리지만 말투는 이미 중년이 돼버린 애늙은이 같은데, 자주 쓰는 단어로 "근사한데?"와 "제법인데?"가 있다. 근사하다는 말을 구어체로 쓰는 내 또래 사람은 처음 봤다. 성격이 급해서 말도 행동도 엄청나게 빨리하는 나와는 다르게 남편은 느릿느릿하게 말한다. 가끔 종알종알 하루에 있었던 자랑을 늘어놓으면 느릿한 말투로 근사하다며 아빠 같은 말투가 툭툭 나올 때마다 그게 그렇게 귀여울 수가 없다.

우리는 아빠 차를 물려받기 전까진 쏘카를 애용했는데, 같이 픽업 장소에 가서 차에 타기 전 그는 섬세한 배려심을 뽐내기라도 하듯 집에서부터 챙겨온 룸 스프레이를 차 안에 앞뒤로 거침없이 뿌려대기 시작했다. 아무래도 남이 탔던 차이기에 차멀미를 잘하는 내가 냄새 때문에 멀미할까 봐 뿌린 거라고 했다. 그의 뿌듯한 미소와는 다르게 룸 스프레이의 강력한 냄새 때문에 울렁거리는 속을 달래며 한겨울에 창문 네 개를 모두 다 오픈하고 달렸던 기억이 난다.

그는 머리만 대면 1분 안에 잠들 수 있는 축복받은 유전자를 보유 중인데 그런 그가 늘 나보다 먼저 잠드는 게 부럽기도 하고 얄밉기도 하다. 난 주로 잠드는 게 오래 걸리는 편이어서 잠이 안 올 때면 약간 미저리처럼 "여보 나 사랑해?"라고 물으면 남편은 잠결에도 "응"이라고 대답해 준다. 재차 물어봐도 재차 답해주는 모습이 너무 신기해서 다음날 물어보면 기억을 못 한다. 깨어있을 때 해주는 사랑의 말보다 무의식 속에 든 짧은 대답이 더 애틋하다.

그는 내 꽃 취향을 정확히 학습했다. 봄·여름에는 화사한 들꽃 스타일을 좋아하고 가을·겨울에는 쨍한 컬러의 다양한 색이 대비되는 걸 좋아하는데 그는 꽃집에 전화해서 아주 정확한 디렉션을 내린다. 그가 처음부터 그런 건 아니었다. 그의 꾸준한 노력과 정확한 나의 피드백이 만들어낸 학습의 결과다. 한 번은 나에게 선물 할 꽃을 샀는데 포장이 아무리 봐도 내가 좋아할 것 같지 않은 유치한 포장이었다고 한다. 그는 바로 다른 꽃집에 들러 사장님께 이런 부탁 드려 죄송하지만, 돈을 낼 테니 포장만 다시 해달라고 요청드린 적이 있다. 결과적으로 두 꽃집이 합작한 꽃다발을 들고 의기양양하게 나에게 들고 온 날이 생각난다. 결혼 4년 차에 접어들자 난 은근슬쩍 이제 기념일에 꽃다발을 사 오지 않아도 된다고 했지만, 그는 여전히 내 취향을 맞추는 게임의 퀘스트를 깨듯 꽃 선물을 즐기고 있다.

그는 나의 어마어마한 따라쟁이다. 말투와 행동은 물론이거니와 하다못해 입맛과 취향까지 나를 똑같이 카피한다. 난 갑각류를 안 좋아하는데 특히 찐 대게나 찐 새우를 안 좋아한다. 그것마저도 자기도 같이 싫어하기 시작하더니 이젠 찐 대게를 먹을 생각만 해도 속이 메스껍다고 한다. 좀 과한 것 같은데 그의 오버스러움이 귀엽게 느껴진다.

연애할 때 함께 맞이한 내 첫 생일선물로 그에게 아주 '작은' (강조) 다이아몬드가 달린 목걸이를 선물 받았다. 목걸이보다 더 감동받은 건 선물을 주면서 건넨 그의 다정한 말이었다. 혹시라도 잃어버리면 미안한 마음에 몰래 똑같은 거 사놓지 말고 괜찮으니까 꼭 자기에게 말해 달라고 했다. 걸핏하면 물건을 잃어버리는 덜렁거리는 나를 배려한 말이었다. 다이아몬드보다 더 값진 사랑이 내 목에서 반짝반짝 빛났다.

2018년 여름 부로 구 남친이자 현 남편에게 제대로 입덕해버렸고 현재까지 덕질의 강도는 매일 달라지지만, 꾸준히 내 마음속 최애이자 원픽이다. 다른 덕질과 다른 점은 탈덕의 과정이 법적으로 얽혀있고 나의 덕질 상대와 1:1로 다투는 게 가능하며 나를 가끔 엄청나게 화나게도 한다는 점이다. 하지만 다른 덕질에 비해 좋은 점은 쌍방향이라는 점. 덕질하는 상대에게 똑같은 마음을 받아 가며 그 힘으로 덕질이 더 견고해질 수 있다는 점이다. 그리고 나 외에는 그 누구도 그를 덕질하지 않는다는 점이 더 특별하게 만들어준다. 아직까지 한 가지 확실한 건 나에겐 탈덕은 없다. (단, 우리가 다투고 난 후 나에게 한 번만 다시 물어봐 주면 다른 대답이 나올 수 있다는 점 유의하길 바란다.)

그의 혼이 담긴 꽃다발

성덕의 조건

존레순

성덕이란 무엇인가. 나는 특기가 '좋아하기'라고 해도 될 만큼 무언가를 잘 좋아하는 사람이다. 무언가를 쉽게 좋아하기도 하지만, 하나에 빠지기 시작하면 최선을 다해서 좋아한다. 무언가를 좋아하는 마음과 그를 위한 행동은 나로 하여금 살아 있는 기분을 느끼게 해주기 때문이다. 이런 나는 과연 성덕일까.

내가 무언가를 좋아하는 방법은 단순하다. "잘 아는 것"

제대로 알지 못하면 제대로 좋아할 수도 없다. 나는 무언가에 꽂히기 시작하면 집요할 정도로 그에 대한 모든 것을 알고 싶어 하는 편이다. 정보 범람의 시대, 인터넷을 조금만 뒤져도 찾을 수 있는 것들로 시작한다. 자료가 많이 남아 있는 대상이라면 그쯤에서 만족하고 멈춘다. 하지만 나이를 먹을수록 첨예해지는 취향 탓에, '좋아해요'라고 말할 수 있을 정도로 나를 이끄는 것들은 대부분 내가 몇 번의 검색만으로는 제대로 알기 어려운 것들뿐이다.

그러다가 최근에 알게 된 아주 효과적인 방법이 있다. 그건 바로…

인터넷에서 찾아보지 말고 그 사람에게 직접 물어보는 것이다. 이걸 왜 이제야 깨달은 거냐고? 당연하다. 내가 여태까지 좋아했던 대상들은 죽었거나, 해외에 있거나, 너무 유명하거나, 기타 등등의 이유로 직접 만날 수가 없었기 때문이지.

하지만 내 취향의 스펙트럼이 점차 *섬세해짐*에 따라(이는 *좁아지는 것*과는 확연히 차이가 있는 표현이다), 덩달아 나도 머리가 커지며 이 사회 속에서 어떠한 역할을 가지게 됨에 따라, 내가 좋아하는 사람은 '동경하는 대상'보다 '친구가 되고 싶은 사람'에 더욱 가까워졌다. 물론 친구가 되고 싶다는 말 속에는 동경의 의미도 충분히 있지만 말이다.

간절히 바라면 온 우주가 도와준다고 누가 그랬던가, 그렇게 나는 일종의 '아이돌 같은 대상'을 직접 만날 기회들을 종종 얻게 되면서 소위 말하는 '성덕의 길'을 걷고 있었다. 내가 좋아하는 사람을 직접 만나 대화를 나눈다는 것은 형용할 수 없을 정도로 짜릿하고 두근거리는 일이었다. 인터넷 검색으로는 절대 알 수 없는, 그저 그렇게 좋아해서는 알 수 없는 그에 대한 알짜배기 정보들을 얻을 수 있는 기회니까. 게다가 이것이 일방적인 것이 아니라, 쌍방적인 무엇인가가 이루어지면서 '관계'라는 것이 만들어지기도 했으니까! 알아가는 즐거움은 곧, 사랑하는 즐거움이 됐다.

하지만 언제나 즐거울 수는 없는 법. 그에 대한 모든 것을 알고 싶었던 욕심은 그에 대해 알지 않아도 될 것들까지 번졌던 것이다. 인간이란 복잡하고도 입체적인 존재가 아닌가. 나에겐 한없이 강해 보였던 사람도 속에는 나약함을 숨겼던 것일 수도 있을 만큼. 상호적이라 좋았던 그와 나의 '관계'라는 것은 결국 나의 좋아하는 마음을 점점 앗아가기 시작했다. 가까워질수록 멀어지는 마음이라니, 이 얼마나 아이러니한가.

이쯤에서 다시 묻고 싶다. **성덕이란 무엇인가.**

다시 내가 무엇인가에 꽂히기 시작했을 땐, 나에게 이렇게 말해주고 싶다.
"적당히 아는 것이 제대로 좋아하는 방법이다."

코난포에버

권동력

친구들 사이에서 나의 코난 사랑은 유명하다. 누구는 일본에 놀러 갔다 오면서 코난 스티커를 사다주고, 누구는 티비에 코난이 방영할 때마다 캡처해서 보내준다. 심지어 최근에는 친구도 아닌, 친구의 남편이 글쎄 어디서 코난 전시를 한다고 DM으로 알려줬는데 명탐정 코난이 아닌 미래소년 코난이었다고 한다. 하하하. 진짜 무언가를 좋아하고 거기에 집중한다는 건, 어떤 방식으로든 남들에게 드러나는 법인가 보다.

이쯤 되면 내가 왜 코난에 입덕하였는지 모두가 궁금해할 것이다. 안 궁금하더라도 한번 들어봐 주길 바란다. 이 자리를 빌려 나에게 탈덕은 없음을 공식적으로 선언하고, 구구절절하게 왜 코난에 빠지게 되었는지 그 역사를 공유하고자 한다.

코난을 처음 보기 시작한 건 2012년, 대학교 4학년을 보내고 있을 때였다. 그 해는 현재까지 살아온 인생을 통틀어서 육체적, 정신적으로 가장 힘든 시간이었다.

깜냥에 맞지 않는 졸업 영화를 찍고 있었고, 사람들과의 관계에서 문제가 생겼고, 2학년 때부터 해오던 극단 활동도 병행하고 있었기에 매일 고된 노동이 수반됐다. 모든 것이 과해 넘쳐흐르는 것을 주워 담는 것만으로도 온 정신과 에너지를 쏟아야 했다. 결국, 불면증으로 수면유도제를 먹었고, 면역력이 바닥을 쳐 대상포진으로 한참 고생했다.

어느 날, 학교에서 돌아와 저녁을 먹다 투니버스에서 방영되는 코난을 보게 됐다. 20분 남짓의 짧은 스토리, 유쾌한 구성, 확실한 캐릭터, 복잡하지 않은 사건이 한두 편 안에 깔끔하게 해결되는 쾌감, 결국 모든 걸 시인하고 반성하는 범인, 말도 안 되지만 그럴듯한 각자만의 범행 동기. 20분 동안 잡생각들을 잊고 집중하는 기분. 참 오랜만에 느껴보는 해방감이었다. 그렇게 다음날도 무심히 한 편, 또 그 다음 날도 한 편. 처음에는 티비에 나오면 보고 아니면 마는 식으로, 다음에는 방영 시간을 조금씩 체크해 보는 것으로, 그 다음에는 방영되지 않은 일본판을 블로그 경로를 통해 보는 것이 결국, 극장판으로 넘어와 VOD 결제를 단행하는 지경으로 나의 덕질은 깊어져 갔다.

20분짜리 해방감은 1시간짜리에서 2시간짜리로 4:3 비율의 화면에서 시네마스코프 비율로 넘어갈 때까지 이어졌다. 그 사이 나의 무의식은 범인이라든지 사장이라든지, 역시 과연 그렇군, 그럴 수가, 거짓말이야 등등의 일본어들을 숙지하기 시작했고, 어느 지점에는 독일어 영어 한국말과 일본말이 혼재된 요상한 4개 국어를 구사하기도 했다. 졸업과 동시에 힘들었던 2012년이 지나가면서 끝날 것 같았던 코난 시청은 첫 번째 회사, 그리고 독일, 다시 두 번째 회사 그리고 현재 세 번째 회사로 넘어가는 나이가 될 때까지 계속되었다. 중간중간 몇 번 탈덕을 시도하였으나 번번이 실패했는데 사는 게 만만치 않아서 과거의 고통은 무색해지듯 매해 불안과 스트레스의 강도는 갱신되었기 때문이다. 바꿀 수 없는 습관처럼 불안을 해소하는 방식으로 코난은 내 곁에 계속 머물렀다.

사실 코난을 오래오래 매일매일 닳도록 보고 또 볼 수 있던 이유는 처음 1~2년을 빼고는 전혀 내용을 집중해서 보는 것도, 캐릭터에 관심을 가지는 것도 아니었기 때문이다. 그 덕에 매번 볼 때마다 새로운 내용을 발견하고 흥미를 느낀다. 누군가에게 백색소음이 있다면 나에게는 코난 소음이 있달까? 스트레스가 너무 당연한 현대를 사는 사람에게 그게 뭐가 됐든 마음에 평화를 주는 뭔가를 이미 가지고 있는 나는 참 행운이라는 생각이 든다.

2024년, 오늘도 여전히 11시 편집실에 다녀와 녹초가 되어 퇴근했지만 코난 한 편 보고 잔다. 유명한 아저씨의 실없는 농담에 조금은 건방진 코난이 그들의 세계에서 멋지게 사건 하나를 해결해 내고야 마는 쾌감을 함께 느껴보며. 코난 만세.

평소 나의 코난 사랑에 동참해 준 모든 친구에게 감사를 표하며!
코난 카페 가보겠다고 설치던 나를 위해 애경프라자 같이 가줬던 거 고맙습니다.

HJ : 코난와 스키데스지만 애경프라자는 나이데스.
SK : 근데 코난은 다시 신이치로 언제 돌아가요?
SG : (답변거부)
SS : 진실은 언제나 하나!

12

이탈

정확히 엄지발가락 아랫부분이다.
처음에는 그 부분만 때가 타기 시작하더니,
가죽이 해지고, 결국엔 양말이 다 보이게
구멍이 뚫리는 것이었다. 내 신발들을 유심히
보던 친구가 물었다.
"너 왜 여기만 구멍이 뚫려?"

「발가락 이탈기」 중

엄마와 경로를 이탈했습니다

전대문

7박 8일의 여행을 마치고 서울로 돌아오는 비행기 안에서, 퍼뜩 엄마 생각이 났다. 두 달 전 상담을 하면서 엄마를 향한 원망을 입 밖으로 쏟아낸 뒤로, 한동안 엄마를 잊고 있었다. 하루치 수면제를 챙겨오지 않은 탓에 거의 밤을 지새운 채로 새벽 비행 길에 올라 과도하게 각성하였던 탓일까? 살짝 흥분된 마음으로 나는 불현듯 엄마가 나를 낳았을 순간이, 나와의 만남을 시작한 때를 생각하게 되었다. 그리곤 '시작은 좋았을 거야. 엄마도 나를 낳을 땐 좋은 것만 보여주고 싶었겠지.'란 생각에 미치자, 눈물이 터지기 시작했다. 비행기 안에서 실컷 울고, 다짐했다. 엄마를 향한 미움의 경로를 이탈하고, 새로운 길을 찾아보겠다고. 나의 다짐은 아래의 글로 대신한다.

한국으로 가는 비행기 안에서, 나는 엄마를 다시 사랑하려고 해

시작할 땐 사랑하는 것만을 생각했을 거야. 엄마가 나를 낳았을 땐, 좋은 것만 보여주고 싶었겠지. 그래서 바쁜 와중에도 틈만 나면 들로, 산으로, 대학교 캠퍼스로 데려가 사진을 찍어주었겠지

동생이 비석 위에서 춤을 추는 사진을 보았어. 사실 그러면 안 되지만, 어린 우리가 뭘 알았겠어? 그리고 그런 천진난만함이 엄마는 얼마나 예뻤을까? 너무 소중하고 어여뻐서 사진으로 남겨져 있는 순간들

나의 우울함에, 나의 불안에 엄마의 흔적을 털어내려 해. 시작은 좋았을 테니까, 엄마, 난 엄마의 사랑을 시작하는 마음만 남기고 상처와 미움은 보낼게

엄마가 나의 우울과 불안에 자유로워졌으면. 다시 한국으로 돌아가면, 엄마와 여행을 계획할게. 앞으로의 우리의 시간도 많이 남았으니, 이제 새로 잘 지내보자

시작할 때 사랑만 생각했을 거야, 이번엔 내가 먼저 사랑할게

61,789원

존레순

"생일 축하해요"

서른한 번째 생일을 축복하는 문자였다. 보낸 이는 나를 거절한 Q로부터.

작년 3월, Q를 처음 만났다. Q를 알고 있던 건 꽤 됐지만 실제로 만난 건 그때가 처음이었다. 우리는 무슨 인터뷰 때문에 만나게 되었는데, 내 친구는 질문을 하는 입장이었고, 그는 대답하는 입장이었다. 내가 그의 팬이라서 내 친구가 나를 데리고 갔는데, 대화를 나누다 보니 어느새 내가 그를 인터뷰하고 있었다. 이상하리만치 말이 잘 통한다고 생각했지만 나 혼자만의 착각일지도 모른다고 생각하던 찰나, 그가 말했다. "정말 오랜만에 이렇게 제 말을 잘 알아듣는 사람을 만난 것 같아요." 아주 한참 나중이 되어서야 그것은 우리가 정말 잘 통하기 때문이 아니라 나라는 사람이 워낙에 다른 사람들의 말을 잘 듣는 것에 익숙한 사람이었기 때문이었다는 걸 깨달았는데, 그걸 알았을 때는 이미 너무 멀리 와버려 늦은 것이었다. 나는 이미 어떤 궤도에 진입하던 찰나였다.

처음엔 좋은 친구가 되겠거니, 했다. 그도 애인이 있었기 때문이다. 말이 잘 통한다며 내 문을 열어 버린 그는 정작 자기의 문은 잘 열지 않는 사람이었는데, 4월 말인가, 5월인가, 갑자기 나에게 이런 다이렉트 메시지를 보내게 된다. "솔직함과 배려를 동시에 하기가 정말 어려운데, 레순씨는 그런 사람 같아요. 그래서 함께 있으면 얼마나 좋은지 몰라요. 저는 원래 둘 중 하나를 포기해 왔는데, 레순씨에게 만큼은 둘 다 노력하고 싶어요." 그때 나는 직감적으로 느꼈다. 이 자식 헤어졌구나…

내 직감은 맞았다. 그때부터 나는 Q가 본격적으로 신경 쓰이기 시작했다. 하지만 내 짝사랑엔 브레이크가 없는 걸 알기 때문에 급발진하지 않도록 꾹꾹 눌러 참았다. 펄떡거리는 마음을 간신히 누르며 유튜브로 Q의 MBTI에 대한 비밀 연구를 하고 있던 어느 밤, 알람이 울렸다. "기분 전환하는 법 알려주세요." 인터뷰 때문에 생겼던 카톡방이었다. 인터뷰 이후로 계속해서 "둘이 결혼했으면 좋겠어요. 성별만 바꾼 같은 사람 같아요."라고 말하던 친구가 전화를 했다. 당장 대답하라고. 플러팅이라고는 '멋지게 옷 입기' 밖에 못 하던 내가 그때는 미쳤는지 이렇게 말했다. "운동하기, 안 하던 짓하기, 그리고 저랑 놀기?" 보내 놓고 죽고 싶었는데- 바로 답장이 왔다.

"마지막은 찬스인데요?"

망했다고 생각했다. 간신히 참았던 마음의 봇물이 터지고야 만 것이다. 여우 같은 한마디 따위에 나는 어떤 궤도에 불시착하게 되었다. 그날 이후 나는 그에게 찬스를 선물해 주고 싶었는데, 그때부터 절대 열리지 않을 것 같았던 그의 속마음이 활짝 열리기 시작했다. Q는 애인과 이별 후 극심한 괴로움을 호소했다. 나로서는 공감하기 힘든 이야기였지만 그의 전 애인 옆에 새 애인이 생겼다는 이야기를 듣고 나서는 이해할 수 있었다. 매일 밤마다 금쪽이 이별 상담소가 열렸는데, 친구들은 그걸 보고 '그거 완전 미친놈'이라고 했다. 관심 있는 사람에게 전 애인 이야기를 하는 놈이 어딨냐면서. 하지만 나는 그대로도 좋았다. 그의 상처를 치유해 줄 수 있어서인 줄 알았는데, 그것보다 그 이야기를 통해 Q라는 사람을 잘 알 수 있는 계기가 됐으니까. 다시 말하면 그와 대화할 수 있어서 좋았던 것 같다.

어떤 궤도에 꽁꽁 묶이게 된 것은 7월이었다. 7월에는 Q의 생일이 있었다. Q는 자기가 원하는 것을 직접적으로 말하지 않는 버릇이 있었는데, 생일 전주쯤인가 나에게 갑자기 자기 엄마가 보낸 문자 화면을 보냈다. "다음 주 화요일이 네 생일이네, 집에 와서 미역국 먹구 가. 친구들 약속 있으면 주말에 와두 되구." 그래서 알았다, 7월 11일이 Q의 생일이란 것을. 이게 뭐냐니까 Q는 대답이 없었다. '생일 축하해달라는 건가.' 긴가민가해 하다가 생일에 약속이 있는지 물었다. 아직도 그 엄마와의 카톡 메시지는 왜 보낸지 모르지만, Q는 나의 질문에 화들짝 놀라며 곧 생일인지 어떻게 알았냐고 했다. 그때 알아차렸어야 했는데… 이 자식이 얼마나 어마어마한 불여시인지를… 사실 그때 알면서도 넘어가긴 했지만.

Q는 그해 여름 유난히도 슬픔에 잠겨 있었다. 그렇기에 더욱이나 그의 생일을 잊지 못하게 해주고 싶었다. 회사 일이 무진장 바빴지만, 동료에게 부탁해 그의 사진을 출력한 엽서를 만들어 편지를 쓰고 그가 좋아할 만한 책을 골라 손수 포장도 했다. (동료는 내게 쌍욕을 했다.) 그의 생일로 넘어가는 자정에 딱 맞춰 그의 이름 석 자로 삼행시를 지어 보냈다. 그날은 비가 억수로 많이 내렸고, 우리는 종각 근처의 어느 닭집에서 닭볶음탕과 카스 맥주 두 병을 나눠 마셨다. Q는 내가 가져온 고깔모자를 가게를 나오는 순간까지 쓰고 있었다. 부끄러움이 많은 그가 절대로 쓰지 않을 거라고 생각했는데, 이딴 별것도 아닌 거에 나는 내심 감동을 했다. 선물 포장은 예전에 랄프로렌에서 옷을 사고 받았던 스티커와 낙서로 꾸몄는데 그걸 보고 Q가 귀엽다고 생각했는지 한참을 보고 연신 사진을 찍었다. 엽서에도 크게 감동한 눈치였다. 내가 명색에 카피라이터인데, 이 정도는 아무것도 아니라고 말하고 싶은 것을 꾹 참았다.

나는 그날 밥을 먹은 후 맥주도 한잔하고 싶었다. 하지만 그는 잔병이 많은 허약 체질이었다. 겉으로 보기에도 자주 아플 것 같은 그는, 그날도 밥을 먹고서 집에 가야 할 것 같다고 했다. 고깔모자로부터 받은 감동이 와장창 무너지는 순간이었다. "그래요." 했어야 했는데 괜히 분해서 "진짜 너무 하네! 그럼 딱 십분도 안 될까요?"라고 했다. Q는 웃겨 죽었다. 그럼에도 안 된다고 했다. (나쁜 새끼) 그게 미안해서였는지 1호선을 타고 가는 게 더 가까운 그의 집에 나 때문에 5호선을 타고 가겠다고 했다. 계단을 내려가며 Q가 물었다. "근데 책 말고, 그 노란 노트는 왜 준거에요?" 사실 책 한 권만 주기 좀 민망해서가 첫 번째고, 두 번째는 너 몰래 나랑 커플템 맞추려는 거였는데 말하기 싫어서 "그냥요, 뭐라도 좀 쓰세요"라고 했다. 지금 생각하니까 스스로가 좀 섬뜩하다.

지하철이 오기 전에 Q가 말했다. 슬픈 생일을 보낼 뻔했는데 덕분에 너무 행복했다고, 고맙다고. 돌아오는 나의 생일도 자기가 꼭 축하해줄 수 있으면 좋겠다고. 나는 그게 마치 고백처럼 들렸다. 심장이 엄-청 크게 뛰었는데 우리 집에 가는 지하철이 들어오는 소리 덕분에 Q에게는 들리지 않았던 것 같다. 그리고 우리는 더 많이 가까워졌다. 묻지 않아도 자기 이야기를 술술 하는 지경에 이르렀다. 수개월간의 비밀 연구 결과, INFJ들은 자기 기준에 친밀하다고 생각하는 순간 평소에 꽁꽁 숨기고 다니는 속마음을 솔직하게 말하고, 절대 흐트러짐 없을 것 같던 사람이 바보처럼 망가진다고 하던데, Q가 그랬다. 나도 덩달아 Q가 편해져서 예전엔 꾹 참았던 서투른 플러팅도 마구 했다. 그도 즐기는 눈치.

그렇게 9월이 됐다. 그사이에 나는 일본 여행을 가서 그에게 엽서도 보냈다. 10월엔 부산 영화제를 같이 가자고 했다. 그러자 왜인지 마음이 급해져서 확인하고 싶어졌는데, 그때부터 뱅뱅 돌았던 궤도가 어딘가 고장난 것처럼 나는 길을 잃은 기분이 들었다. 친구들의 반은 말리고, 친구들의 반은 잘 생각했다고 했다. 아차산 입구의 두부 가게에서 밥을 먹고 어떤 구린 노래가 나오는 이자카야에서 맥주를 마시다가 어린이 대공원을 걸었다. 무슨 이야기를 했는지 기억이 잘 나지 않는다. 고백할까 말까, 내적 갈등이 심각해 Q가 무슨 말을 하는지는 귓등에조차 들어오지 않았으니까. 그걸 눈치챘던 건지, 헤어지던 지하철역에서 내가 이제 말을 놓자고 하자 Q가 싫어요! 라고 소리치고 뛰어 도망을 갔다. 난 또 그 줄행랑치는 모습이 귀엽다고 생각했는데, 지금 생각하니 고백할 걸 알고 미리 거절하고 튄 것 같기도 하네. 그때 뛰어서 잡으러 갈걸.

집에 가는 지하철에서 한참을 생각했다. 부산 가기 전엔 그래도 말해야지, 하는 생각에 집 앞에 다 와서야 Q에게 전화를 걸었다. 그는 놀란 눈치였다. "무슨 일 생겼어요?" 아무 일도 안 생겼고, 할 말이 있다면서, 사실은 엄청 큰마음을 별거 아닌 척 쿨한 척 촌스럽게 고백했다. 수화기 너머에 답이 들리지 않아서 "여보세요?"라고 물었더니 Q는 답했다. "정말로 몰랐어요. 저에게 유독 잘해준다는 생각은 했지만, 그게 고마워서 보답하고 싶은 마음에 레순씨를 대했던 건데, 그게 착각하게 했다면 사과하고 싶어요."

아……

그렇다. 내가 생각한 궤도란 애초에 있지도 않은 것이었다… 그의 말을 듣고 눈앞이 컴컴해졌다. 그럼에도 불구하고 이런 레파토리는 너무나도 지겹지만 그런 거 아니라고 애써 쿨한 척했다. 그러자 Q는 물었다. "그럼, 이제부터 제가 레순씨를 어떻게 대해야 하죠?"

….

그렇게 애매한 마침표가 찍힌 것이 9월 11일의 일. 그로부터 4달하고도 4일 만에 Q에게 문자가 온 것이다. "생일 축하해요."라고.

4달하고도 4일이라는 시간 동안 나는 무척이나 노력했다. 애초에 존재하지도 않았던 어떤 궤도로부터 이탈하고자 말이다. 가장 좋았던 방법 중 하나는 '적금'이었다. Q에게 연락하고 싶거나 그의 인스타그램을 염탐하고 싶을 때마다 1,000원씩 적금하는 거였다. 물론 생각이 날 때마다 적금했다면 명품백 하나 정도 살 수 있었겠지만 그렇게 하지는 못했다. 그렇게 내게 남은 건 6만 1천 원에 이자로 붙은 789원이었다.

그래서 그의 연락을 받았을 때는 기분이 아주 이상했다. 꼭 61,789원을 주고 그의 생일 연락을 산 것 같은 기분이라고나 할까. 그렇다고 그의 연락이 나와 다시 잘해보고 싶은 마음은 아니었던 것 같다. 지난 생일에 본인이 지나가듯이 했던 말을 지키고 싶었기 때문이었을 테지. 그런데 나는 미련을 아주 버린 줄만 알았는데 그 문자 하나에 흔들리기도 했던 것 같고, 동시에 정말 아니구나 싶어서 새로운 궤도를 찾아야겠다는 생각도 들었다.

그 먼 훗날에는 부디 이탈하는 일이 없었으면 좋겠다. 아니, 이탈해도 좋은데 그때는 꼭 적금이 아니라 비트코인을 사서 모아야겠다. 그 시즌이 비트코인이 떡락하는 시기면 더 좋고.

한국행 편도 티켓
킴카나다

나의 인생에서 첫 번째이자 가장 큰 경로 이탈은 10년 넘게 잘 살던 캐나다에서 대학교 졸업 후 한국으로 다시 왔을 때다. 그 당시엔 한국에서의 삶은 상상도 하지 않았다. 한국은 그저 방학마다 가족들을 보러 놀러 오는 곳이었지 내가 직장을 구하고 가정을 꾸리며 살게 될 곳은 절대 될 수 없으리라 생각했다.

그 생각을 바꾸게 한 가장 큰 이유는 나보다 4년 먼저 한국으로 다시 돌아간 엄마의 부재 때문이었다. 단순하게 다시 가족과 함께 살고 싶었다. 엄마가 해주는 저녁밥이 먹고 싶었다. 가족의 울타리 없이 혼자 대학 생활을 하는 내내 마음속 어느 한구석이 늘 외로웠다. 아마 졸업 후 경로를 결정할 때 의지하는 남자 친구라도 있었다면 다른 선택을 했으려나? 다행인지 불행인지 그 당시엔 없었고 한국이든 캐나다든 나라는 상관없이 가족이 있는 곳이 '집'이라는 생각이 들었다. 그 당시에 가족이 모두 캐나다에 있었다면 한국에서의 삶은 없었을지도 모른다.

두 번째 이유는 방학 때 캐나다에서 한두 번의 광고 회사 인턴 생활 때문이었다. 인턴을 통해 깨닫게 된 광고라는 분야는 언어뿐만 아닌 문화까지 완벽히 '여기 사람'이어야 올라갈 수 있겠다 싶은 벽이 느껴졌다. 한국어가 여전히 더 편했던 나는 그 속에서 여전히 '이방인'일 뿐이었다. 언제나 나는 소외된 채 그들만의 리그를 보는 듯한 무기력함과, '경쟁에서 밀리겠구나.'하는 생각에 두려움이 느껴졌다. 돌이켜보면 그때는 사회 초년생이기에 자연스레 모든 게 어렵고 서툴렀을 뿐인데 어렸던 나는 문화의 차이에서 오는 불리함이라고 생각했다. 내 두려움과는 다르게 사실 그때의 나는 회사 생활을 정말 잘 해냈었다. 첫 번째 회사에선 인턴 기간이 끝나자 다른 인턴들 사이에서 유일하게 나만 프리랜서로 남은 방학 동안 더 일해달라는 오퍼가 들어왔고 두 달 동안 그 당시 만 불이라는 큰돈을 벌었다. 졸업 전에 일했던 두 번째 회사에선 졸업 후 취업을 약속받기도 했다. 남들이 잘한다고 인정해 줘도 내가 넘을 수 없다고 느껴졌던 그 언어의, 문화의 벽이 나를 쫄게 했다.

지금 와서 생각해 보면 너무 어리석었다. 뭔가 다를 거라는 기대를 품고 온 한국 회사의 인턴 생활 역시도 그 무기력함과 두려움이 똑같이 느껴졌다. 사회생활의 쓴맛은 한국이 더 심했다. 심지어 여긴 불합리함과 부당함까지 있잖아?! (한 회사에서 정규직 전환이라는 희망 고문으로 열정 페이를 받으며 1년 동안 인턴 생활을 했다. 그리고 정규직 전환은 없었다) 그때 1차 위기가 왔다. "괜히 왔다…"

하지만 멀지 않아 이곳 한국이 내가 있어야 할 곳이라는 걸 느끼게 됐다. 이곳에 와서야 또렷한 깨달음을 얻은 것이다. 나도 모르는 사이 캐나다에서의 나는 늘 긴장감과 잔잔한 불안감을 가지고 살고 있었다는 것을. 불과 10년 전만 해도 상상도 할 수 없었던 한국에서의 삶에 언제 그랬냐는 듯 완벽히 적응했고, 두 번째 직장에서 사랑하는 반쪽을 만나 가정을 이루면서 비로소 '나의 삶'을 써 내려가고 있다. 가끔은 캐나다에서의 삶이 신기루같이 느껴지기도 한다. 정체성을 잃지 않고자 필명을 킴카나다로 지은 이유도 있다.

그렇게 오랜 시간 캐나다에 살다가 다시 한국에 온 나를 신기하게 보는 사람들이 많다. 대부분의 사람들은 다들 나가지 못해서 안달인데 왜 돌아왔냐는 말을 덧붙이며 이유를 물어보곤 한다. 사는 곳은 중요하지 않다.

서울에 살던 밴쿠버에 살던 토론토에 살던 제주도에 살던 그 어디에 살든 사랑하는 사람들의 가까운 응원을 받는 곳이, 가족들과 함께 엄마가 해준 저녁밥을 먹는 곳이, 내 마음이 가장 편한 곳이 내가 있기 가장 좋은 곳이다. 그곳은 내 마음이 가장 잘 알고 있다. 10년 전에 한국행 티켓을 끊은 나는 과연 경로를 이탈했던 걸까, 아니면 처음부터 정해졌던 내 경로대로 잘 가고 있는 것일까?

발가락 이탈기
장철수

우리 외가에는 한세대에 걸러 한 명씩 물려받는 요상한 유전자가 있다. 할아버지, 막내 이모, 그리고 나까지. 우리 셋은 타고난 무지외반이다. 무지외반은 엄지발가락 옆에 있는 관절이 과도하게 휘거나 움직여서 생기는 변형이다. 할아버지의 무지외반 유전자를 갖게 된 나는 태어날 때부터 엄지발가락 아래의 뼈가 눈에 띄게 툭 튀어나와 있었다. 그런 날 보고 이모들은 할아버지의 유전자가 이번 세대에서는 철수 너에게 전해진 거라는 말을 전했다. 하지만 어렸던 내게 그런 건 아무래도 상관없었다. 그게 뭐가 얼마나 다른 건지 와 닿지도 않았다. 신발을 신으면 보이지 않는 게 발이니까. 뛰어놀기에 바빴던 꼬마 장철수는 그러니까, 한 번도 제 발을 의식해 본 적이 없었다.

처음으로 내 발을 의식하게 된 것은 대중목욕탕에서였다. 어릴 적엔 한 달에 한 번 꼭 때를 밀러 온 가족이 목욕탕에 갔다. 몸을 불리고 때를 밀어내는 힘겨운 시간을 좋아하는 어린이는 아마 없었겠지. 나 역시 냉탕에서 마시는 바나나우유가 낙이겠거니 싶어 따라나서곤 했다. 그날도 어김없이 온탕과 냉탕을 왔다 갔다 돌아다니던 차였을 것이다. 어떤 아주머니 두 분이 정확히 내 발에 시선을 꽂고 속삭이는 것이었다. 나는 그 입 모양을 완전히 알아차려 버렸다. "어머 쟤 발 좀 봐." 발이 좀 다르게는 생겼어도 그게 이상하다고 생각한 적이 없던 어린이 장철수는 그만 묘한 수치심을 느끼고 말았다. 어떤 아줌마들이 내 발이 이상하다고 속삭였다고 말하는 내게 엄마는 그저 괜찮다고만 했다.

나이키 에어가 유행하던 초등학교 6학년 때의 일이다. 나 역시 하늘색 에

어맥스를 하나 장만해 학교에 다녔다. 그런데 참 이상한 일이다. 그렇게 튼튼해 보이던 양발의 에어맥스가 나란히 해지기 시작하는 것이다. 맞다. 정확히 엄지발가락 아랫부분이다. 처음에는 그 부분만 때가 타기 시작하더니, 가죽이 해지고, 결국엔 양말이 다 보이게 구멍이 뚫리는 것이었다. 내 신발들을 유심히 보던 친구가 물었다. "너 왜 여기만 구멍이 뚫려?" 나는 답했다. 발이 좀 특이하게 생긴 거라고. 이상한 것보다 특이한 게 좋다고 생각했던 사춘기 장철수는 친구들에게 내 특이한 발 좀 보라며 굳이 굳이 신발을 벗고 발을 들어 보여주곤 했다. 특이한 발이 자부심이 되어버렸던 것이다.

특이한 발에 관한 이상한 자부심은 시간이 한참 지난 2017년까지 이어졌다. 아니, 오히려 공고해진 사건이다. 나는 당시 한 회사에서 인턴을 하고 있었다. 사무실 생활이 처음이었던 나는 겨울에도 이렇게나 발에 땀이 차는지 몰랐다. 당장 슬리퍼를 사들였다. 발가락 부분이 뚫려있는 아주 일반적인 형태의 버켄스탁이었다. 새 슬리퍼를 신고 사무실을 돌아다니니 같은 팀에 아트 대리님은 "오 신발 샀네?"하며 대충 내 신발을 훑어보시는 듯했다. 문제는 그다음이었다. 갑자기 내 신발을 유심히 보시더니 묻는 것이다. "근데 너 왜 신발 반대로 신냐?" 무슨 소리인가 싶어 내 발을 보았는데 정말 반대로 신은 것처럼 보였다. 발가락 실루엣으로 모양이 잡힌 버켄스탁 슬리퍼 위에 내 발은 그 모양을 완전히 무시한 채 놓여있었기 때문이다. "아, 그게… 제가 무지외반이라…" 나는 구구절절 이 유전에 관해 설명했다. 대리님은 웃으며 답했다. "야 너무 좋다. 결국 뾰족하다는 거잖아, 발이. 너 이걸로 자소서를 써봐. 광고하는 사람들은 뾰족한 거 되게 좋아하거든." 내가 과연 썼을까? 정말 자소서에 쓰진 못했다. 그럴만한 배짱이 안됐기 때문이다. 이 회사에는 결국 합격하지 못했는데, 정말 발에 관한 내용을 썼으면 합격했으려나 싶다.

여전히 나는 내 발이 좋지만 단 한 순간만큼, 내 발이 부끄러웠던 적이 있다. 바로 운동할 때. 웬만하면 양말을 신은 채 운동하려고 하지만 내 맘대로 될 리가 있나. 필라테스를 하든, PT를 하든, 요가를 하든, 선생님들은 내 발을 보면 양말을 벗어보라고 한다. 그러곤 대개 비슷한 말들을 늘어놓는다. 원래부터 그랬냐, 힐을 많이 신느냐로 시작해 굳은살 생긴 걸 보면 알겠지만, 몸의 균형이 엄지 쪽으로 쏠려있다, "아프진 않냐, 걷는데 이상 없냐?"며 같이 수업을 듣는 사람들은 다 같이 내 발을 쳐다본다. 이럴 때면 내 발이 꼭 무언가를 잘못한 느낌이 들지만 나는 안다. 선생님들이 아는 척하고 싶어 그런 거라고. 그래서 이제는 어딜 가면 먼저 소개한다. 제 발은 심한 무지외반이고, 태어났을 때부터 이랬다고. 먼저 말해버리면 선생님들은 그저 발가락 링을 하나 끼워주고 만다. 내 발을 같이 살아본 내가 더 잘 알지 누가 알겠나. 이제는 어디 가서도 농담거리나 이야기의 소재로 먼저 얘기한다. 내 특이한 발 좀 보시라고. 무지외반이지만 아주 얇고 뾰족한, 뼈 때문에 가냘파 보이기까지 한 이 발 어떠냐고.

8개의 이름
권동력

아무도 믿지 않겠지만, 내가 개명을 결심한 건 다 니체 때문이다. 26살이 되던 무렵 그 아영이*와 이탈리아 여행을 하고 있던 도중에 느닷없이 전화를 걸어 아빠는 유나, 은유, 나은, 나영 등등 여러 가지 이름을 말하며 내가 개명하게 되었다고 말했다. 모르긴 몰라도 사주 보는 곳에서 '나' '유' '은' 등의 한자가 나에게 잘 맞다고 했나 보다.

아무튼 그 어이없는 상황을 저항 없이 순순히 받아들인 건, 내가 어디서 보고 들은 소리로 엄마에게 내 이름 가운데 한자 하나가 사람 이름에 잘 쓰지 않는 외로운 뜻이라고 말했기 때문이고, 결정적으로는 그즈음에 니체의 책을 읽고 있었는데 니체가 살면서 8번의 이름을 바꾸었다는 사실을 알았기 때문이었다. 니체는 자신이 사상이 크게 변할 때마다 불리고 싶은 이름으로 개명했다고 한다. 세상에 개명 진짜 멋지다. 질 수 없지, 나도 이름을 적어도 3번은 바꿔야겠다고 그때 마음먹었다. 그렇게 26년을 써오던 정든 이름을 떠나보내고 새로운 이름과 함께 지금껏 아주 만족하며 잘 살아오고 있다.

충격적인 것은 이 기가 막힌 스토리를 쓰고 싶어서 니체가 바꾼 이름들이 무엇이었는지 네이버와 구글에 검색을 해보게 됐는데 아무리 뒤져도 당최 니체가 이름을 바꿨다는 사실을 찾을 수가 없던 것이다!

············아?

아니 그럼 내가 본건 뭐란 말인가? 나는 이름을 왜 바꿨는가! 니체는 이 걸 어떻게 책임질 건가!! 신선한 충격에 며칠 동안 최선을 다해서 구글링 을 다시 했다.

Google:
니체 이름, 차라투스트라 이름, 8번 니체, 니체 개명, 철학자 개명 한 사람, 니체 별명, 니체가 이름을 바꿨나요?, 프리드리히 이름, Nietzsche name, Does Nietzsche have second name?, 이름 8번 바꾼 철학자, 이름 많은 철학자, 니체 변경

머리를 요리조리 굴려 가며 넣어볼 수 있는 키워드는 다 넣어 봤는데 결국 원하는 답은 찾을 수 없었다. 믿을 수 없는 사실이었다. 기억이라는 게 이렇게까지 조작이 될 수가 있나? 무의식이 이름을 간절히 바꾸고 싶어서 타당하고 있어 보이는 사실을 만들어 냈단 말인가? 아니다. 내 머리는 그렇게 창의적이지 못하다. 저렇게 디테일한 스토리를 넣어서 꾸며낼 만큼. 졸지에 나는 조작된 기억 때문에 허세 가득한 이유로 개명한 사람이 되었다. 그래서 이왕 이렇게 된 김에 내가 먼저 8개의 이름을 가져볼까 한다. 이미 사그라진 이름 하나, 그리고 지금의 나로 불리는 이름 하나, 무탈 프로젝트에서 불리고 있는 이름 또 하나. 이미 3개나 있으니 이제 겨우 5개 남았네. 8개 어렵지 않다!

사실이 뭐였든, 결국 내가 꽂혔던 건 새로운 자신을 계속해서 받아들이고 이름까지 붙여주며 소중하게 했던 그 니체 아닌 아무개 씨의 (아무래도 다른 책 어디선가 본 것일지도 모른다는 생각이 든다.) 삶에 대한 정성스러움이었으니까. 그런 마음으로 한번 8개 꽉 채워가면서 살아볼까 한다.

변화를 사랑하면서 말이야. 굉장한 이탈 사고였지만 나쁘지 않은 결말이다.

TO. 독자 여러분,

누구라도 니체가 이름을 8번 바꾸었다는 진실에 대해 알고 계신다면 제보 부탁드립니다. 가장 먼저 확실한 제보를 한 분에게 커피 쿠폰을 쏘겠습니다. 여러분의 소중한 제보가 저에겐 큰 도움이 됩니다. 아무래도 이름 8개는 좀 많은 것 같거든요.:-)

제보 주실 곳 : sa.jojik 인스타그램

*'그 아영'은 '이탈리아' 편에 나오는 동일 인물이기에 관사를 붙여 표시하였다.

탈

발행일 2024년 3월 29일
발행인 사조직
발행처 means
이메일 sajojik.official@gmail.com
SNS 인스타그램 @sa.jojik

기획 및 편집 사조직
디자인 means

*이 책은 저작권법에 따라 보호받는 저작물이므로 무단전재와 무단복제를 금합니다.
이 책의 전부 또는 일부를 이용하려면 반드시 사전에 저작권자의 동의를 받아야 합니다.

ISBN 979-11-987168-7-3

정가 13,000원